AFTER SOCIAL MEDIA

アフターソーシャルメディア

多すぎる情報といかに付き合うか

AFTER SOCIAL MEDIA

はじめに

■ 世の中情報が多すぎる

2020年、世界は突如として新型コロナウイルスと対峙することになりました。コロナウイルス関連の情報がテレビやソーシャルメディア、友達のメッセンジャーなどから豪雨のように押し寄せてきて、「疲れてしまった」という人。どの情報が正確なのか分からず、「誰か本当のことを教えて」と思った人もいるでしょう。情報をめぐって大混乱が起きてしまったのです。

実は、このような混乱は調査で明らかになりつつありました。スマートフォンやソーシャルメディアにより爆発的にメディアが増加し、それによって引き起こされた「情報過多社会」を私たちは生きています。情報をめぐる混乱はすでに数年前から起きており、2020年の新型コロナウイルス禍によりその状況が一気に進行し、誰もがいや応なく混乱を感じるようになったのです。本書は、そうした時代の「情報接触スタイル」「メディアスタイル」について研究した成果をまとめたものです。

■ 情報整理か、共有か

「情報が多すぎなら整理したほうがよい」と考えるのは当然です。ここ数年は、情報整理のニーズを受けて「キュレーションメディア」（ネット上の情報を整理してまとめ直したメディア）などが多く登場し、ビジネス面でも注目されてきました。しかしながら、情報過多に対する答えは「情報整理」とは限らないようです。

一つの例を示しましょう。皆さんは、次の２つのサービスのどちらを使いたいですか？（図表0-1）。

A　情報を的確に選択するサービス
B　友達と情報を共有するサービス

この質問をあるワークショップで問いかけたところ、大手通信企業に勤めるビジネスパーソンはＡのサービスが欲しいと言い、大学生はＢのサービスが欲しいと言いました。

Ａを選んだビジネスパーソンは、「接する情報が多すぎから、興味や関心に応じて、人工知能（AI）を使って情報を絞り込んでくれるサービスがあると便利だ」と思ったそうです。とても合理的ですね。

一方で、Ｂを選んだサッカー好きの留学生は、「好きな趣味の話を友達と共有したいけれど、話のレベルが合う人がなかなかいなくて困っている」。だから、友達とちょうどいい話題を共有できるサービスが欲しいというのです。この大学生の話をどう思いますか？

「毎日のようにソーシャルメディアに投稿していて、そこに『いいね！』がついている、それは情報共有のはず。なぜ、情報共有サービスが欲しいの？」という疑問もあれば、「すごくよく分かる。情報が多いからこそ共有は難しい」という共感もあるでしょう。私たちは最初Bの意見や共感がよく分からず困惑していました。

本書は、NHK放送文化研究所、博報堂DYメディアパートナーズメディア環境研究所と法政大学大学院メディア環境設計研究所のメンバーらにより執筆されています。NHK放送文化研究所は、放送やメディアに関するさまざまな研究、日本や海外の放送事情調査を行っています。博報堂ＤＹメディアパートナーズメディア環境研究所は、生活者とビジネスと技術の視点からメディア環境変化を読み解く、大手広告会社のシンクタンクです。法政大学大学院メディア環境設計研究所は、人が暮らしやすく、社会的につながることができるメディア環境の設計を目的につくられました。

これら異なる研究所が一緒に本を出すのは異例のことですが、そのきっかけの一つがBの意見への困惑でした。どのように理解・整理すればいいのか分からず、それぞれが試行錯誤を繰り返していたのです。

■「ズレ」の背景を理解する必要

お互いが疑問をぶつけ合いながら進めてきた研究から見えてきたのは、「すきま」「ながら」が情報過多を生んでいるということです。自宅中心のマスメディアの接触から、スマートフォンにより、通勤・通学途中、食事を食べながら、お風呂に入りながら、と接触機会が増加しています。その情報過多がもたらすのが「ハズレ」という経験です。

ビジネスパーソンはコロナ禍によって働き方が変わり、メディア環境の変化を実感しているのではないでしょうか。在宅勤務（テレワーク）の仕事中に、会社では見なかったテレビやラジオに接触する機会が増え、日中のテレビを見てつまらなくて「ハズレ」だと感じる、生活のリズムがなくなり時間感覚が分からなくなってきたという状況も、情報過多と関係しています。他にも、情報を多すぎと感じながら肌身離さずスマートフォンを利用したり、信頼性は乏しい上に自分好みの情報が表示されるという仕組みは理解しながらもソーシャルメディアを利用したりする、アンビバレントな行動も明らかになってきました。

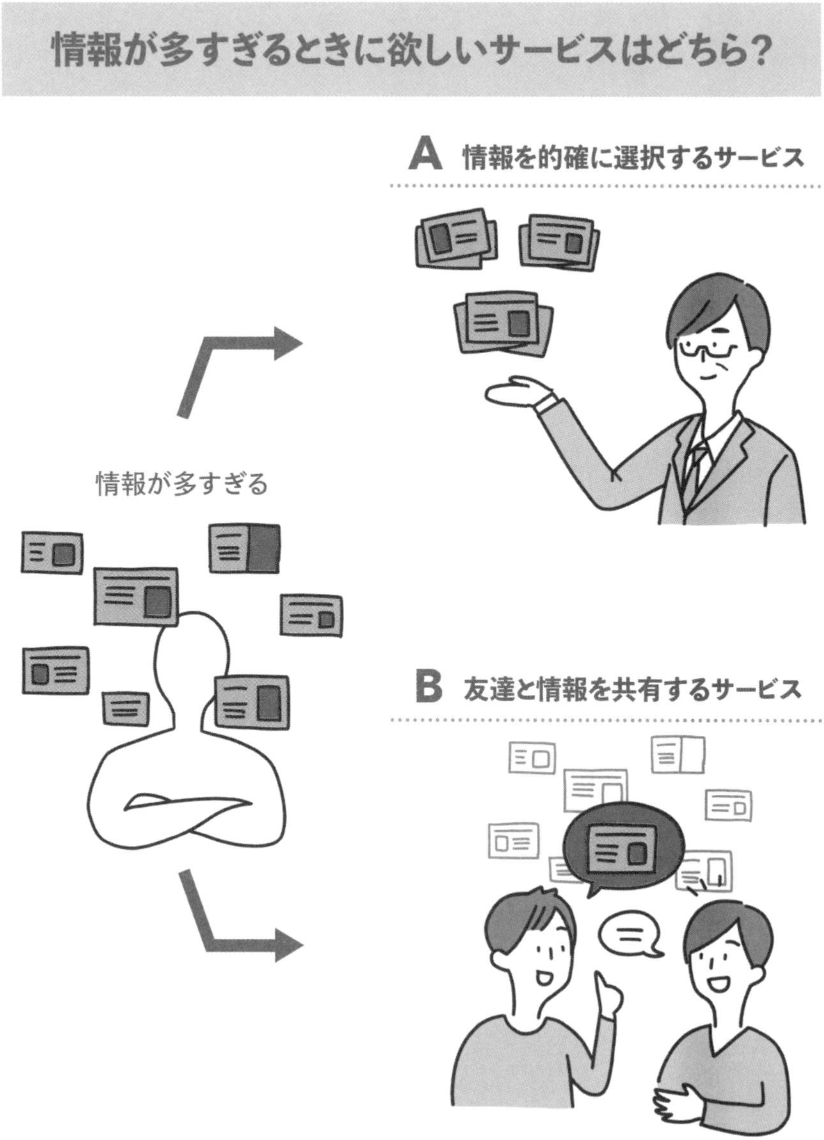

図表0-1　情報が多すぎるときに欲しいサービスはどちら？
出所：久保田麻美/野々山正章

Aを選ぶ人がいれば、Bを選ぶ人もいます。どちらが正解というのではなく、ここで注目したいのは、情報過多という状況は同じであるにもかかわらず、そうした状況下で欲しいサービスは2分される、つまり、「ズレ」があるということです。こうした「ズレ」は各種調査結果からいくつも発見されており、本書でも紹介します。「ズレ」の背景を理解することが、情報過多社会に出現した新しい「情報接触スタイル」「メディアスタイル」を理解することにつながります。

■ 5Gでモノはメディアになり、情報はもっと増える

新たな無線通信システムサービス「5G」に移行し、モノがインターネットとつながる「IoT」(Internet of Things) 社会が到来します。車は自動運転で相互に通信し、街角にはあちらこちらに大きなディスプレイが設置され、洗濯機も冷蔵庫もネットにつながって情報を媒介するようになります。人のメディア化から、モノのメディア化へ、という現象が起きています。メディア企業だけでなく、自動車メーカーや家電メーカーにも大きな変化となります。

多くの企業にとって、情報過多社会は「混乱」と映っているでしょう。「これまでの情報発信方法を前提にしていてはダメなことは分かるのだが、どうしていいか分からない」。そのように頭を悩ませている人にも、本書はヒントを提示します。日本を代表するメディア研究機関のコラボレーションにより解明された新たな情報接触のスタイルから、未来のビジネスを洞察する一歩を踏み出していただければ幸いです。

目　次

第2章「ズレ」ているから話がかみ合わない

第3章 変容するソーシャルメディア

第1章

情報過多社会と新たなメディア接触の謎

1-1 イントロ〜メディアに関する大学生の謎

■「大学生がテレビを見てない」は本当か？

大学で教えている筆者のところに、新聞やテレビといったマスメディア関係者、商品やサービスの情報を届けている企業のマーケティング担当者から、最近、次のような質問が増えています。

「大学生が一番使っているメディアは何ですか？」
「いま時の大学生はどんな話題に興味があるんですか？」
「大学生に人気のあるインフルエンサーは誰ですか？」

企業の皆さんが聞きたがるのは、「大学生はどんなメディアから影響を受けているか」です。商品を売るにせよ、サービスを経験してもらうにせよ、知ってもらわなければ始まりません。テレビコマーシャルは強力ですが、「テレビを見ていない」といわれている大学生に情報を届けるのはどうしたらいいのか悩んでいるのです。

■ 矛盾だらけの大学生の情報接触

ただ、大学の授業で学生に聞いてみると、テレビにも登場している話題のインフルエンサーを知っていたり知らなかったり、ソーシャルメディアで拡散している話題、いわゆるバズっている話題を教室で聞くと、ほとんど知らないということもあります。「なぜなんだろう、あんなに拡散しているのに」と謎は深まります。

「小学生のときには友達とテレビの話で盛り上がれたけれど、いまはしなくなった」という学生がいる一方で、「友達とはテレビドラマの話でよく盛り上がる」という学生もいます。なかには、「米国のプロバスケットボール（NBA）が好きで友達と話をしたいが、誰がバスケットに詳しいのか分からないので、当たり障りのない話をする」といった意見もありました（「はじめに」で紹介したBと同じ意見です）。

こんなに情報が溢れているのに、そしてソーシャルメディアのシェアが当たり前になっているのに、ネットで話題の情報に触れていない人が実はかなりの確率でいて、趣味や特定の番組の話題を同級生に話すのが難しいと感じている学生もいるのです。聞けば聞くほど、大学生の情報への接触は矛盾しているように感じます。

こうした謎を本書にて徐々に解いていきますが、まずは前提となる、情報過多社会の実態から確認していくことにします。

1-2 メディア接触時間は1日400分超え

人々は、どれくらいの時間メディアに接触しているのでしょうか。博報堂DYメディアパートナーズメディア環境研究所の「メディア定点」調査によると、1日当たりのメディア総接触時間は2006年には335.2分でしたが、2019年に400分を超えました（**図表1-1**）。

1日は1,440分です。仮に睡眠を7時間と考えると残りは約1,000分、400分だと起きている時間の4割をメディアに接触していることになります。調査を開始した2006年からメディア総接触時間は常に増え続けてきましたが、2014年に385.6分となった後、2015年に一度減少したことがあります。その際、「メディアに接触できる時間の限界が来たのではないか」と議論になりましたが、翌年からはまた増え、2019年には400分を突破したのです。

■「世の中の情報量が多すぎる」が半数を超える

「メディア定点」調査では、メディアや情報に関する意識や態度について、50以上の質問を生活者に投げかけています。特にここ数年動きが大きい項目の一つが、「世の中の情報量が多すぎる」にYesと答えた人の割合です。2016年には42.1％と4割程度でしたが、2017年に半数を超え、最新データの2019年まで3年連続で半数を超え続けています。その内訳を見ると、中高年層より若年層の数字が高い傾向があり、20代女性は7割以上にも達します。

若者はスマートフォンをはじめとした最新のデジタルデバイスを駆使し、情報の波をうまく乗りこなしているようですが、その実、若者のほ

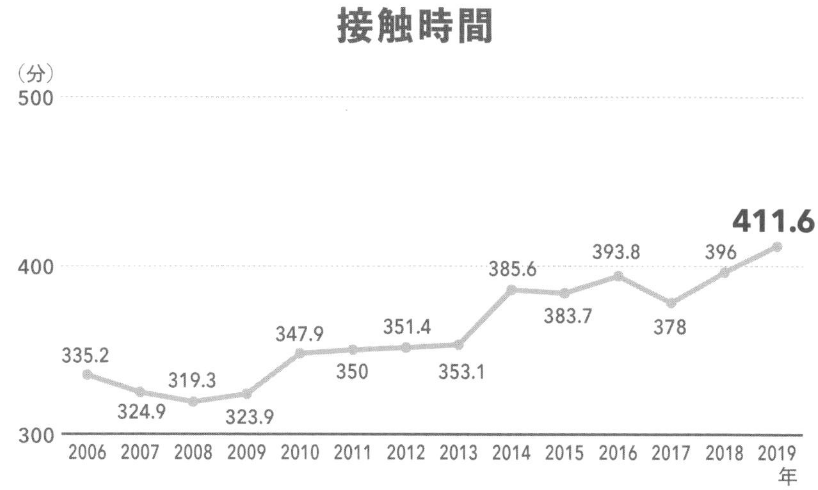

図表1-1　1日当たりのメディア総接触時間

出所：博報堂DYメディアパートナーズメディア環境研究所(注1-1)

うが中高年層より情報過多の意識は強いのです。中高年層も5割近くが「情報が多すぎる」と感じており、生活者のメディア環境を考える上で、「情報過多」は今の時代を捉える基本的な認識です。

■ NHK調査でも8割以上が「情報が多すぎる」

情報過多は、NHK放送文化研究所の世論調査でも明らかになっています。NHK放送文化研究所の2018年の「情報とメディア利用」世論調査では、「今の社会は情報が多すぎると思う」との質問に対して、16～69歳の全体で84%が「あてはまる」「まああてはまる」と回答し、すべての年層で8割以上でした。特定層の固有意識というより、今の社会に対する人々の共通認識だと言えそうです（**図表1-2**）。

この「情報過多」という点について、尋ね方が違うため単純には比較できませんが、1986年のNHK放送文化研究所の「情報と社会」調査で、「膨大な情報量に押しつぶされそうだ」と回答した人が24%、1997年の「テレビと情報行動」調査で、「自分は今、たくさんの情報に取り囲まれているような気がする」と回答した人が47%だったという結果があります。参考レベルの話ではありますが、2018年の調査で「今の社会は情報が多すぎる」が8割超という圧倒的な数字になったことから、当時よりも現在の情報過多感が強烈なものになっている可能性は高いと言えるのではないでしょうか。

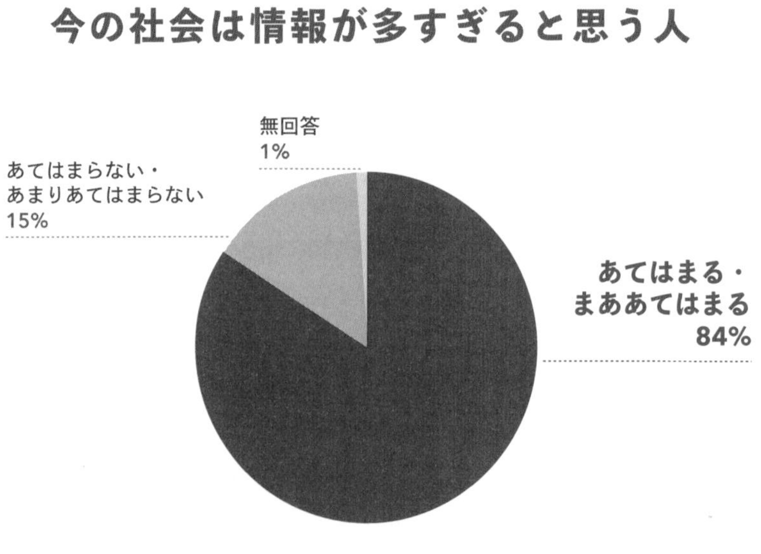

図表1-2 「今の社会は情報が多すぎると思う人全体（16～69歳）」の割合

出所：NHK放送文化研究所（注1-2）

1-3 マスメディアは減、デジタルメディアは増

博報堂ＤＹメディアパートナーズメディア環境研究所の「メディア定点」調査の話に戻します。メディア総接触時間は増えていますが、その内訳を見ると、テレビ、ラジオ、新聞、雑誌という、いわゆる4マス媒体は減少しています。その一方で、パソコンやスマートフォンといったデジタルメディアは増加しています。

■1日100分超えはテレビと携帯・スマホ

テレビの接触時間は、調査開始時（2006年）の170分（平均1日当たり）から減り続け、最新の数字で150分台となり、20分近く減少しています。それとは逆に急激に伸長しているのが、いわゆるデジタルメディアです。

ただ、デジタルメディアにも世代があり、2006年から2011年まではパソコンがけん引していましたが、それ以降はモバイルメディアである携帯電話／スマートフォン（以下「携帯・スマホ」）が急拡大し、ついに2018年に100分台になり、2019年はさらに伸びて117.6分となりました。現在100分を超えるメディアは、テレビと携帯・スマホの2つだけです。

総接触時間の推移を構成比で見てみると、調査開始時は8割を占めたマスメディアがどんどん減少し、現在はデジタルメディア（パソコン、タブレット、携帯・スマホ）とほぼ半々の比率になっています（図表1-3）。

■ デジタルシフトの実態は、モバイルシフト

デジタルメディアの内訳を見ると、接触時間が100分を超えた携帯・スマホが28.6%と全体のほぼ3割に迫り、タブレットと合計すると35.6%と3分の1を超えています。デジタルシフトの伸長は、モバイル機器である携帯・スマホが支えており、いわゆるモバイルシフトがその実態であると言ってよいでしょう。

次は、各メディアのイメージ（メディアごとの提供価値）について見ていきましょう。

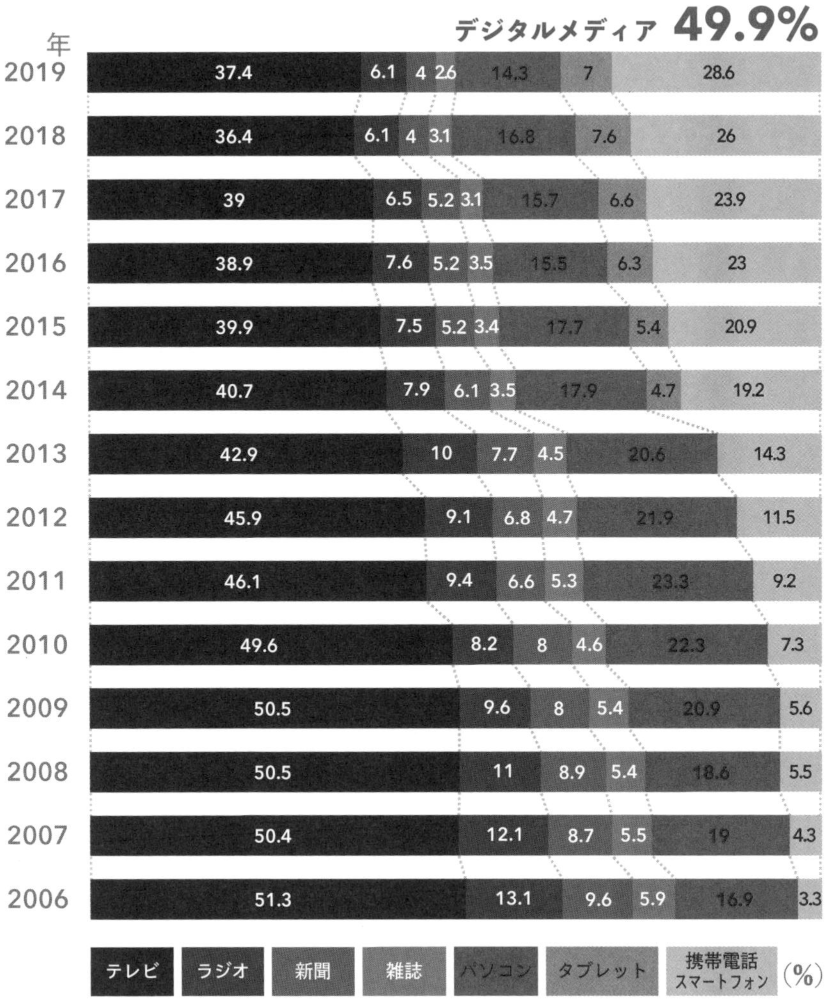

図表1-3　メディア総接触時間の構成比

出所：博報堂ＤＹメディアパートナーズメディア環境研究所（注1-3）

1-4 逆転したメディアのイメージ

「メディア定点」調査では、テレビ、ラジオ、新聞、雑誌、パソコン、携帯・スマホの6つのメディアについて、イメージ評価をしています（図表1-4）。質問は全部で42項目あり、その半分の21項目でトップになったのが携帯・スマホです。現在、携帯・スマホの存在感は非常に強いと言えます。

42項目のうち「情報が早い」「情報量が多い」「情報が新しい」といったデジタルメディア特有の項目は、ほぼすべて携帯・スマホがトップです。これらの項目のいくつかは、過去にパソコンがトップを取っていた（2018年までは「情報量が多い」など2項目でパソコンがトップ）のですが、最新の結果ではすべて携帯・スマホがトップです。「デジタルメディアと言えば携帯・スマホ」といった状況がここに生まれています。

■ マスメディアとデジタルが逆転

さらに、デジタルメディア内でのイメージ競争だけでなく、これまでマスメディアが長期にわたりトップを獲得していた項目においても、携帯・スマホがトップを獲得し、「マスとデジタルの逆転」が起こっています。例えば、「仲間との話題に必要」「習慣になっている」などは、かつてはテレビがトップでしたが、携帯・スマホにトップを奪われています。

このように、接触時間という量的視点だけでなく、イメージ（メディアが提供する価値）といった質的な視点で見ても、携帯・スマホのプレゼンスはマスメディアを追い越し、とどまるところを知らない状況となっています。

携帯/スマホがトップのメディアイメージ（赤字の項目）

情報が信頼できる	好感が持てる
情報が早くて新しい	勉強になる
情報が幅広い	ゆっくり楽しめる
分かりやすく伝えてくれる	癒される
知りたい情報が詳しく分かる	気分転換になる
斬新な情報が多い	すばやく情報に触れることができる
身近な内容の情報が多い	情報が手早く分かる
感動や興奮を覚える情報が多い	質の高い情報が多い
役立つ情報が多い	世の中の出来事が分かる
楽しい情報が多い	自分にあった情報に出会える
気持ちが落ち着く情報が多い	新しい何かに出会える
自分にとってなくてはならない	新しい情報を仕入れるのに使う
仲間との話題に必要	すぐにやってみたくなるような情報を入手できる
おもしろい	すきま時間に、見たり聞いたり読んだり利用したりする
ポリシーやメッセージを感じる	リラックスして、見たり聞いたり読んだり利用したりする
明確な個性や特徴を持つ	なんとなくだらだらと、見たり聞いたり読んだり利用したりする
定評や人気がある	利用する時間を増やしたい
センスがいい・カッコいい	利用する時間を減らしたい
活気や勢いを感じる	社会に提言する役割がある
時代を切り開いていく感じがする	習慣になっている
生活者の声に耳を傾けてくれる感じ	自分も参加した気持ちになる

図表1-4　メディアイメージ評価の42項目

出所：博報堂ＤＹメディアパートナーズメディア環境研究所(注1-3)

1-5 注目すべきアンビバレントな項目

このイメージ調査において、注目すべき項目があります。それは、「なくてはならない」と「利用する時間を減らしたい」の2項目です。この2項目は「ズレ」ているイメージですが、両方の評価項目でトップを獲得したのは、携帯・スマホです。

■ スマホはなくてはならないか、時間を減らすか

改めて、読者の皆さんにお尋ねします。次の2択があるとしたら、皆さんは、どちらのほうのイメージが強いでしょうか？（図表1-5)。

A　スマホは、なくてはならない
B　スマホを、利用する時間を減らしたい

この2つの項目に対する回答を、性別、年齢別に見ると興味深いことが分かります。Aの「なくてはならない」と回答した割合が高いのは、若年層、特に女性です。Bの「利用する時間を減らしたい」と回答した割合が高いのも、若年層、女性です。

長く多くスマートフォンを利用する若年層、特に女性層ほど、スマートフォンは「なくてはならない」メディアであり、同時に「利用する時間を減らしたい」メディアになっているのです。アンビバレントな存在と言えるでしょう。

10代20代では「なくてはならない」という回答が男女共に80%を超え、「利用する時間を減らしたい」という回答も60%を超えています。

図表1-5　スマホのイメージはどちら？

出所：久保田麻美/野々山正章

一方、年代が高くなっていくと「なくてはならない」も「利用する時間を減らしたい」も減っていきます（**図表1-6**）。

これらの結果から分かることは、情報過多社会に対して、矛盾する状況が生まれているということです。「世の中の情報量が多すぎる」と思いながらも、メディア総接触時間は増え続けています。それと同様に「利用する時間は減らしたい」のに、スマートフォンを手元から離すことができないでいるのです。

「携帯・スマホは、なくてはならない」と「携帯・スマホは、利用する時間を減らしたい」の2択があれば、どちらも選ぶ人がいます。特に若い人にその傾向が顕著です。メディアに対しての意識と実際の間で、揺れ動いている状況が感じられます。

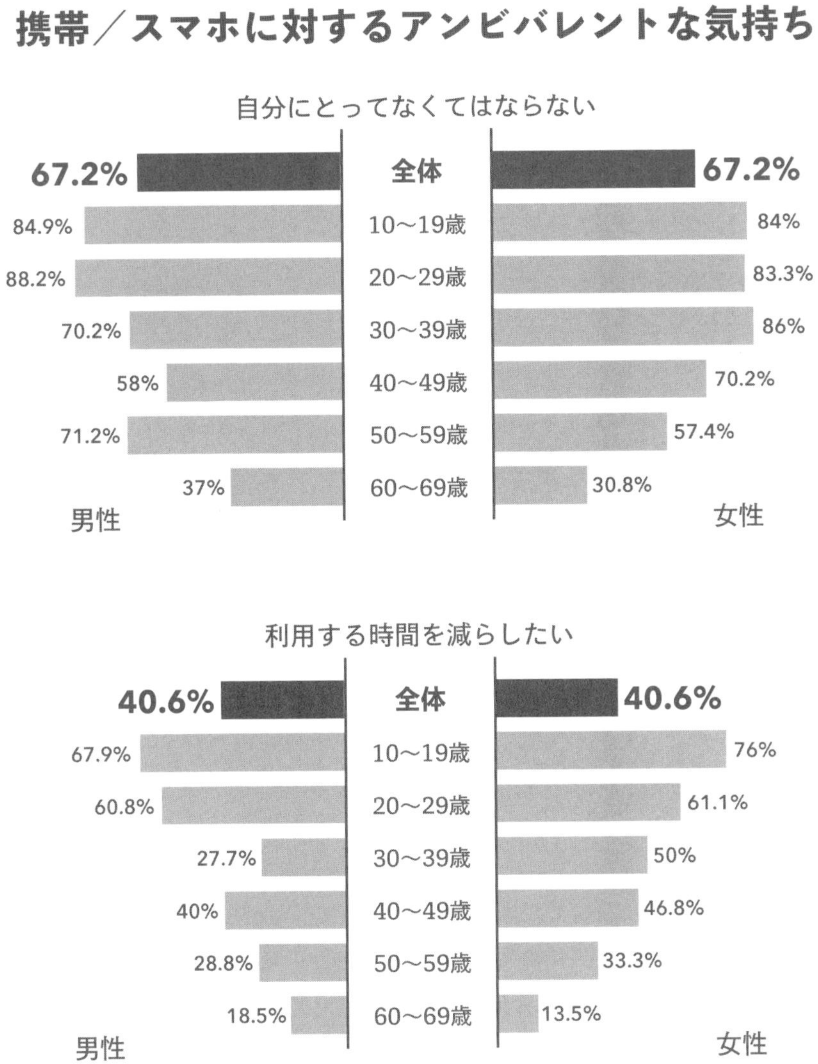

図表1-6　「なくてはならない」「利用する時間を減らしたい」の回答結果

出所：博報堂ＤＹメディアパートナーズメディア環境研究所（注1-3）

1-6 情報が多すぎるのに、スマホを寝床に

　このような揺れ動く状況は、「メディアに対しての意識や態度」について尋ねた結果からも感じることができます。

■ ネット普及期と今では、逆の状況に

　過去3年で動きの大きかったトップ５を**図表1-7**に示します。一番大きな動きを見せたのが「情報やコンテンツは無料で十分だ」で－17.3ポイント(2016年46.0%→2019年28.7%)です。５番目の「世の中の情報量は多すぎる」＋9.4ポイント(2016年42.1%→2019年51.5%)と併せて考えてみると、生活者は「ネットの情報は無料で、多くの情報が手に入る今の状況」を「良い」とは考えていないことが分かります。

　ネットの普及期は、「情報が無料でどんどん手に入る」ことが生活者から見た大きな評価ポイントであったことは間違いないでしょう。ネット以前は情報がそれほど多くない時代（「情報過多時代」に対して「情報希少時代」と呼びたい）でしたので、ネット普及期は質よりも量を求める側面が強かったのです。その後、ネットの浸透、モバイルの普及を通じて、ネット普及期とは真逆の状況が生まれているのです。これは、情報過多時代の特徴と言えるでしょう。

　さらに、情報過多に対してそれを敬遠しながらも、**図表1-7**に示す2位から4位までの項目にあるように、「SNS（ソーシャル・ネットワーキング・サービス）は自分の暮らしに必要」で、「寝床に持ち込む」ほどスマートフォンから離れることができず、「映画やテレビを見ること」もスマートフォンで行うようになっています。ここでも、意識と行動の矛盾が生

じている結果となっています。

■自分の過ごすメディア環境を再設計したい

こうしたさまざまな量的な調査結果から鑑みると、今の生活者は、情報過多の中でメディア総接触時間400分を超え、「自分の過ごすメディア生活を再設計したい」、あるいは、そこまで大上段には構えないにせよ、「再考したい」と考え始めているのではないでしょうか。

ネットが浸透し、モバイル、スマートフォン、ソーシャルメディアが生活に入り込む状況を無邪気に受け入れる時代はすでに過ぎ去り、初めて自分たちの情報摂取状態を省みるような姿勢を取り始めていると言えます。定点調査からの傾向という、長期にわたるじわじわと進んでいる状況だからこそ、そう感じずにはいられないのです。自分の過ごすメディア環境を再設計する人たちについては、第５章で事例を挙げながら紹介します。

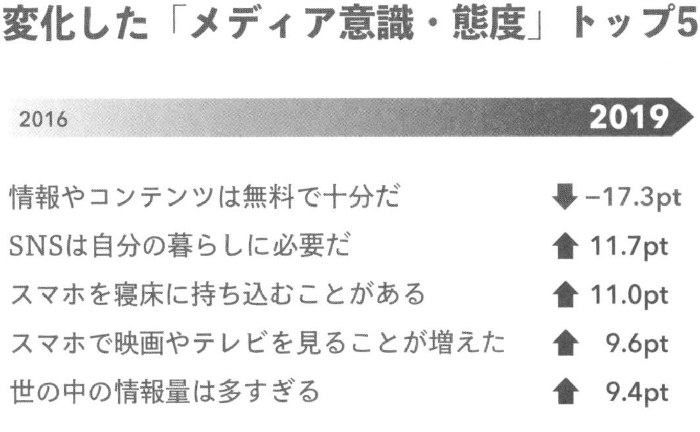

図表1-7　2016年から変化した「メディア意識・態度」トップ5
出所：博報堂ＤＹメディアパートナーズメディア環境研究所（注1-3）

1-7「トイレで」「家事の合間に」スマートフォン

情報が多すぎるけど、スマートフォンを手放さないというのは、どのような利用状況なのでしょうか。1日400分を超えるメディア接触の中身に踏み込んでみましょう。

■どの年代も「ながら」利用

NHK放送文化研究所の「メディア利用の生活時間調査2018」(注1-4)の結果を見ると、スマートフォンやタブレットの詳しい利用状況が見えてきます。

この調査では、スマートフォンの利用時間は全体で1時間12分（10～69歳　月曜）でしたが、男女とも16～29歳では2時間を超え、若年層で特に長くなっていました（男性2時間15分　女性2時間37分　月曜）。

具体的にスマートフォンやタブレットを「ほぼ毎日」利用しているシーンを尋ねたところ、「朝起きてすぐ」と「寝る前の時間」は、幅広い年代で高い割合となっています。「トイレで」は40代以下の男性が多く、「家事の合間に」は30代以上の女性が多く利用しています。何かをしながらの「ながら」利用はどの年代でもみられます。特に若年層は「歯磨きをしながら」「テレビを見ながら」「入浴中」などとほとんどの項目で、全体（10～69歳）より有意に高くなっています。スマートフォンを肌身離さず持ち歩き、利用している実態が分かります（図表1-8）。

■深夜を除いてほぼ1日中利用している

ソーシャルメディアは、スマートフォンと非常に相性のよいメディア

いつスマホ/タブレットを利用する？

	全体	男性					女性				
	(10～69歳)	16～29歳	30～39歳	40～49歳	50～59歳	60～69歳	16～29歳	30～39歳	40～49歳	50～59歳	60～69歳
朝起きてすぐ	47	**67**	56	42	49	38	**63**	56	45	42	33
歯磨きをしながら	6	**20**	**11**	3	2	1	**10**	3	3	2	1
トイレで	15	**37**	**29**	**26**	12	6	**23**	10	6	0	4
家事の合間に	30	24	15	18	9	11	27	**48**	**50**	**54**	**51**
通勤・通学の移動中	37	**56**	**61**	43	38	28	**65**	43	27	26	10
食事をしながら	11	**25**	14	14	10	5	14	17	8	10	2
テレビを見ながら	30	**47**	39	27	16	16	**45**	37	32	31	19
入浴中	4	**12**	3	3	2	0	**17**	1	1	1	1
寝る前の時間	61	**83**	67	58	46	40	**87**	**79**	68	58	32

（%）

図表1-8　スマートフォンとタブレットを「ほぼ毎日」利用するシーン
赤字は全体より有意に高い。出所：NHK放送文化研究所（注1-4）

です。ソーシャルメディアの利用時間を「スマートフォン・携帯電話」と「パソコン・タブレット端末」で比べると、年齢にかかわらず「スマートフォン・携帯電話」での利用がほとんどで、「パソコン・タブレット端末」での利用はわずかです。ソーシャルメディアの利用時間もスマートフォンと同様、やはり若年層で長く、なかでも女性16～29歳では1時間48分と、1時間に満たない30代以上と比べて大きな差があります。

さらに、スマートフォンでのソーシャルメディア利用について見ていきます。**図表1-9**は、女性16～29歳のソーシャルメディアとスマートフォン全体の利用率（月曜のデータ）を1日の時間軸に沿って示したグラフです。このグラフから、ソーシャルメディアとスマートフォンの利用が連動し、どちらも朝、昼、夜に利用者が多くなることが分かります。また、深夜早朝を除いてほぼ1日中利用者が途切れません。

このソーシャルメディアの時刻ごとの利用率を、自宅内と自宅外に分けてみます（**図表1-10**）。学校や仕事のある日中は主に自宅外で使われ、20時以降は自宅内での利用がメインとなっています。自宅外でのソーシャルメディアの利用は、8時前後と19時前後の通勤・通学の時間帯や12時ごろの昼休みといったすきま時間によく使われていることが分かります。

■テレビ、ソーシャルメディア、動画などを自在に行き来

一方自宅内では、ソーシャルメディアの利用は20時以降に集中しています。日中・外出先の空いた時間にスマートフォンでソーシャルメディアをチェックする姿は容易に想像できると思いますが、実は自宅内・夜間のソーシャルメディア利用も大きなボリュームを占めているのです。この夜間のソーシャルメディアがどのようなシーンで使われているのか、女性16～29歳の夜間の主なメディア利用を見てみます（**図表1-11**）。

夕食を終える人が増え始める21時ごろから、入浴や歯磨きなど身支度をする人が多くなる23時前後までの時間帯で、ソーシャルメディアの利用者が多くなっています。この時間帯はソーシャルメディアだけではなく、テレビや動画を見る人も多く、それらに同時に接している姿がうかがえます。彼女たちは自宅の部屋にいながら、テレビとスマートフォン、そしてスマートフォンの中でもソーシャルメディアや動画など、さまざまなメディア環境を自在に行き来しているのです。

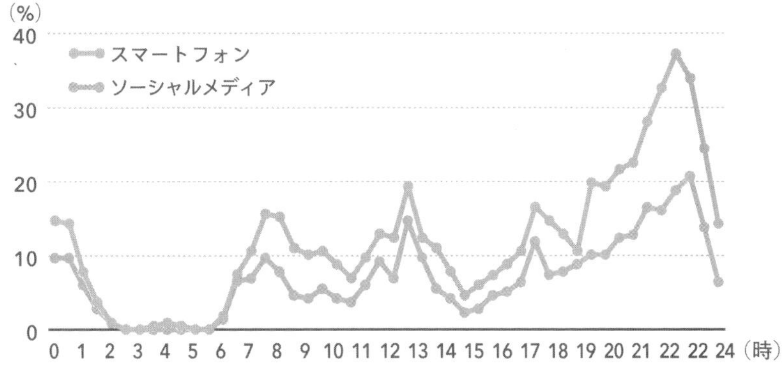

図表1-9　ソーシャルメディアとスマートフォンの30分ごとの平均行為者率（月曜女性16～29歳）

出所：NHK放送文化研究所（注1-4）

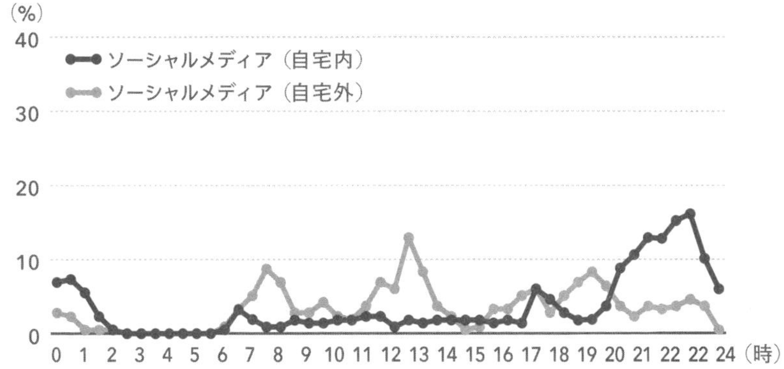

図表1-10　自宅内外別のソーシャルメディアの30分ごとの平均行為者率（月曜女性16～29歳）

出所：NHK放送文化研究所（注1-4）

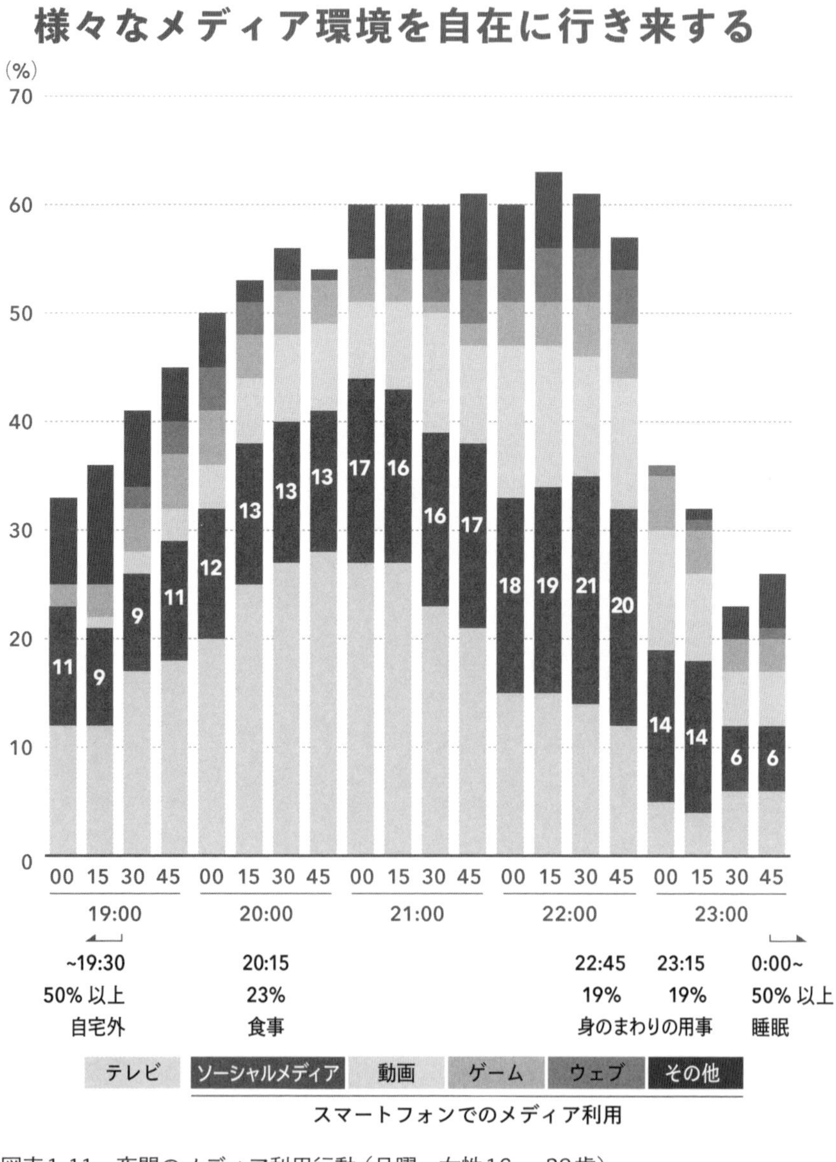

図表1-11　夜間のメディア利用行動（月曜　女性16～29歳）

その他は、スマートフォンでの「音楽」「雑誌・マンガ・本」「ニュース」「メール」の合計。出所：NHK放送文化研究所（注1-4）

1-8 まとめ：「ながら」と「すきま」で増え続ける

第１章では、生活者のメディア接触時間が増え続けて１日400分を超え、あらゆる世代で「情報が多すぎる」と思っていること、そして、朝から晩までスマートフォンを使い、テレビなどのメディアを自在に行き来したり、ソーシャルメディアを利用したりしている情報過多の実態を明らかにしました。

テレビや新聞というマスメディアの時代は、リビングなど特定の場所でなければ情報に接することができませんでした。場所の制限はパソコンでもあまり変わりませんでしたが、スマートフォンが普及したことで

図表1-12　朝から晩まで、ながらとすきまで情報接触が増加している
出所：久保田麻美/野々山正章

生活者のメディア接触環境は大きく変化しました。スマートフォンによって、場所という物理的な障壁が低くなり、さらにソーシャルメディアによって情報の共有や検索が容易になったのです。

家にいようが外にいようが、トイレだろうが、入浴中だろうが、スマートフォン、そしてソーシャルメディアに触れ続けています。ちょっとしたすきま時間にTwitterのタイムラインをチェックし、夜、自分の部屋では好きなアーティストの情報を検索したり、あるいは友達やコミュニティの仲間とやり取りしたりと、生活シーンやその時々の気分に合わせてソーシャルメディアを利用しています（**図表1-12**）。

このようなメディア接触スタイルは、スマートフォンとソーシャルメディアの登場によって大きく変わったメディア環境に、一番早く適応した姿と考えられます。その結果、10代後半と20代のスマートフォンとソーシャルメディアの利用時間はそれ以上の年代に比べて格段に長くなっていました。情報過多という状況は同じなのに、若年層のメディア接触スタイルはそれ以上の年代と明らかに異なります。そこに「ズレ」が生じてくるのです。

第2章

「ズレ」ているから話がかみ合わない

2-1 20代と30代にある意識の境界

情報過多社会における情報に対する意識の「ズレ」や矛盾は、NHK放送文化研究所の調査データにも現れています。なかでも「ニュース」に対する意識の「ズレ」や矛盾が顕著です。

第2章では調査データを基に、生活者の「ニュース」への態度や行動を見ていきたいと思います。最初に、ニュースに対する「ズレ」を2択で示しておきましょう。皆さんはニュースについてどちらの意識を持っているでしょうか？（図表2-1）

A　ニュースは意識して自分から接している
B　ニュースはたまたま気付いたものだけで十分だ

■受動的に接触するか能動的に接触するか

この2択の回答を説明するのに最適なデータがあります。それは、NHK放送文化研究所の「情報とメディア利用」世論調査の結果をまとめたレポート、その名も「情報過多時代の人々のメディア選択」にあります。

政治・経済・社会の動きを伝えるニュースについて、「ニュースには意識して自分から接している」（Aに相当。能動的接触派）か、「ニュースはたまたま気付いたものだけで十分だ」（Bに相当。受動的接触派）の意識調査をしたところ、Aの能動的接触派が全体（16～69歳）の65％、Bの受動的接触派が34％でした。年層別では、16～19歳、20代でBの受動的接触派が5割を超えました。男性・女性共に年齢が高くなるにつれて、「ニュースには意識して自分から接触している」という

図表2-1　ニュースについて、どちらの意識を持っている？
出所：久保田麻美/野々山正章

質問に対して、「近い」「どちらといえば近い」を合計した、Aの能動的接触派が増加していきます（**図表2-2**）。

A（能動的接触派）とB（受動的接触派）の2択にすると、Aを選んだのは30代から多くなり、Bを選んだのは20代以下で、20代と30代を境に能動的接触派と受動的接触派は逆転し、「ワニの口」のようなグラフとなっています。

16～19歳の6割近くが受動的接触派であることは重要なポイントです。今後、「ワニの口」からさらに進んで、「X」（エックス）のようになるのか、注視する必要があります。

■アプリからプッシュ通知が次々とくる

このような調査結果に対し、「ニュースはきちんと見るもの」「接するニュースが偏ってしまう」といった意見もありますが、どちらが正しいというのではなく、このような意識の「ズレ」があることに注目してもらいたいのです。「ズレ」はさまざまなところに出現しています。

マスメディアの時代、ニュースに接するには、配達された新聞紙を取りに行きページをめくる、テレビでは電源をつけてチャンネルを回すという能動的な行動にひも付いていました。そのため、「ニュースは意識して自分から接している」というAを選択することになります。Bを選択する背景には、スマートフォンのように常時ネットに接続し、アプリからプッシュ通知が次々と送られてくる状況があります。情報過多という状態だけでなく、テレビや紙からスマートフォンへと情報を扱う媒体が変わり、その媒体の特徴が受動的接触派を増やしている要因の一つと言えそうです。

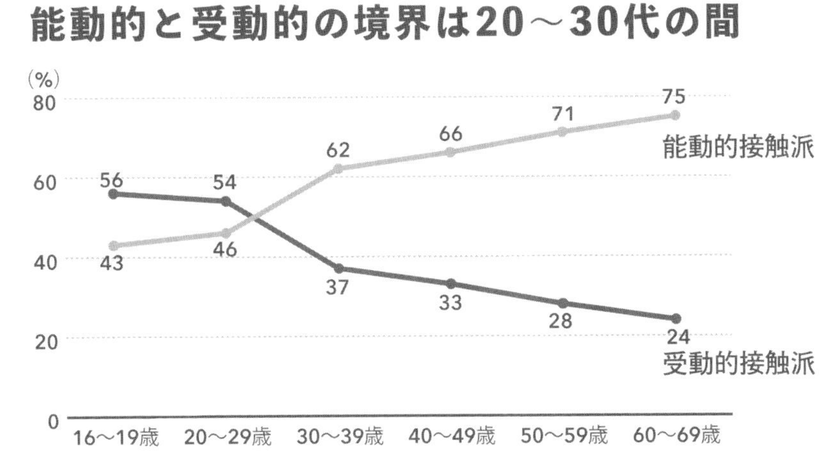

図表2-2　政治・経済・社会の動きを伝えるニュースに対する意識

「近い」「どちらかといえば近い」の合計。出所：NHK放送文化研究所(注2-1)

2-2「ズレ」を浮かび上がらせたヒントとは

ここまで見てきたように、世論調査では受動的接触派と能動的接触派のような違いがあることが明らかになりました。また、NHK放送文化研究所は、10代後半～20代・首都圏在住の男女30人に対し、ソーシャルメディアの利用頻度やテレビの視聴時間、有職者か学生かなどを軸に6つのグループに分け、普段の情報入手の仕方や、利用するデバイスやメディアへの評価、基本的な情報観などを尋ねました（以下、このインタビュー調査を「グループインタビュー」と表記）。

大まかにまとめると、グループインタビューでは、以下のような傾向がみられました。

・日常生活の中で接する情報が多すぎるという認識が多くの参加者でみられた。
・自分が関心のある分野の情報だけでも膨大なので、これ以上は手を広げたくないという意識がみられたが、実際に個人的に関心がある情報に絞る人だけではなく、社会的な情報を確認する人もいた。
・関心がある情報の範囲は概して狭く、情報を探す範囲も狭かった。
・世の中で話題になっている情報を知りたいとき、検索サイトよりも、まずソーシャルメディアで検索する意識が一部にみられた。
・当事者や自分を知る人からの情報を“リアル”と感じて信じる、という意識がみられ、他者が編集や加工した情報に対しては強い不信感が見受けられた。
・特に女性は、ソーシャルメディアのフォロー先が非常に多く、数百～千件にのぼる人もいた。フォローする理由は「自分の細かい興味に対応した詳細な情報が得られる」「価値観を共有した発信者だと信頼できる」であった。
- メディアからの情報に対し全面的には信用しておらず、自分で選択して判断することが重要だという意識がみられた。
- 自分が関心のある領域の情報には高い信頼性を求めるが、そうではない情報は不確かであっても、面白ければ拡散に抵抗がない傾向があった。

これらの観点に注目して調査を実施した結果、新たな情報接触スタイルを浮かび上がらせるさまざまな「ズレ」があることが分かってきたのです。

2-3 新聞・テレビとソーシャルの境界

日本社会で人々が日常的に利用するメディアは、年齢による相関関係が明らかにあります。40代を境に、上の年層はテレビや新聞などのマスメディア、下の年層はソーシャルメディアや動画などのインターネットです。これは、大きな特徴だと言えます。

■「毎日利用するメディア」。全体ではテレビがトップも…

「毎日利用する」メディアを尋ねました。まず、全体（16～69歳）を見てみると、目を引くのは「テレビ」の60％です。昨今、「テレビ離れ」といわれていますが、まだまだ大きな割合のように見えます（博報堂DYメディアパートナーズメディア環境研究所の「メディア定点」調査においても、テレビの時間が依然として大きな割合を占める結果が出ています）。

そのテレビに匹敵するメディアがソーシャルメディアです。「LINE」「Twitter」「Facebook、Instagramなど」のいずれかの利用をまとめた「ソーシャルメディア」は全体で57％でした。特に「LINE」は単体でも54％で「テレビ」に迫り、グラフにはありませんが「リアルタイムのテレビ視聴」（53%）と同じくらい利用されています（**図表2-3**）。

■女性20代の9割がソーシャルメディアを毎日利用

年層ごとに詳しく比較すると、テレビとソーシャルメディアの利用の違いが見えてきます。まず、40代以下では「ソーシャルメディア」が「テレビ」を上回りました。特に「ソーシャルメディア」は、16～19歳、女

毎日利用するメディアの境界は40〜49歳

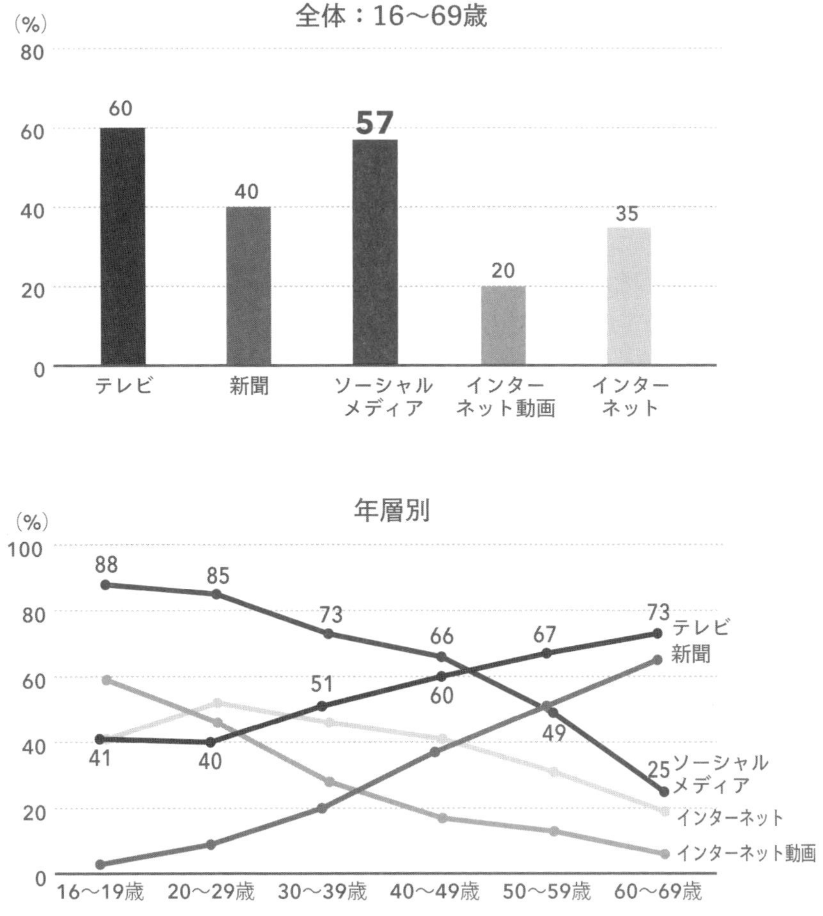

図表2-3　毎日利用するメディア（抜粋）

インターネットは、ソーシャルメディアやインターネット動画以外のインターネット利用。出所：NHK放送文化研究所[注2-1]

性20代ではおよそ9割が毎日利用していて、20代に限れば、「Twitter」や「Facebook、Instagramなど」を単独で見ても、それぞれ「テレビ」と同等以上に毎日利用されています。

また、ソーシャルメディアとともに若年層で存在感があったのが「動画共有・配信サービス」で、16～19歳は59%、20代46%と、若年層では「テレビ」に近いか上回るボリュームでした。このように、若年層ではソーシャルメディアや動画など、日常的に接触するメディアの種類が多く、毎日利用するメディアの中で、テレビは決して突出した存在ではありません。数ある選択肢の一つにすぎないと言えるでしょう。

一方、50代60代では「テレビ」や「新聞」といったマスメディアの毎日の利用が5割を超え、日常的によく利用されていることが分かります。

2-4 スマホとテレビの境界

別の調査で「情報を得るために欠かせないメディア」をスマートフォンやパソコンなど、デバイスに注目した分類の選択肢から一つだけ選んでもらいました（図表2-4）。

こちらも（16歳以上の）全体では「テレビ」（39％）と「スマートフォ

欠かせないメディアの境界は50代

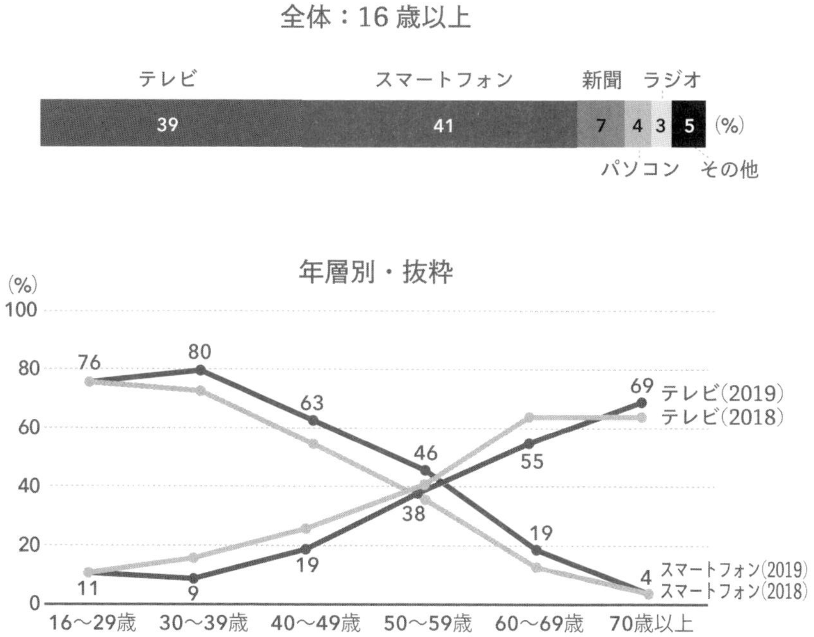

図表2-4　情報を得るために欠かせないメディア
出所：NHK放送文化研究所（注2-2）

ン」（41％）が拮抗しているものの、年層別に見ると、50代を境に最も欠かせないメディアの座が明確に変わります。

2-1で説明したように、「ニュースは意識して自分から接している」と「ニュースはたまたま気付いたものだけで十分だ」への回答は20代と30代を境に「ワニの口」のような結果になりましたが、メディア別に聞くと、50代が境界となり「X」（エックス）のようになっています。1-5で説明した博報堂ＤＹメディアパートナーズメディア環境研究所の調査では、「携帯・スマホはなくてはならない」と回答した人は、60代ではぐっと少なくなっていました。

今の日本社会を俯瞰すると、30代以下と40代50代以上の間にメディア利用の境界があり、すでに一つのメディアが社会全体をカバーできる時代ではないこと、少なくとも30代と50代では見ている情報源（ニュースだけでなくCMなども入るでしょう）が違うことを認識しておく必要があります。「テレビは高齢者、ソーシャルメディアは若者」という接触区分だけでなく、情報に対する意識についての「ズレ」が生まれているということになるでしょう。意識について、さらに詳しく見ていきます。

2-5 知りたいことだけ知っておけばいい

若年層へのグループインタビューで特徴的だった意識があります。それは、「自分が知りたいことだけ知っておけばいい」という意識です。

16～69歳への世論調査では、「自分が知りたいことだけ知っておけばいい」と回答した人は全体で31%でした。年層に注目すると、16～19歳が39%、20代が44%と、若年層で全体より高いという結果が出ました（**図表2-5**）。

また、「自分が知りたいことだけ知っておけばいい」という意識を持つ20代以下の人は、持っていない人に比べて「情報源は少数でもよい」と考え、情報を見比べない人が多い傾向でした。

このように、グループインタビューでみられた「自分が知りたいこと

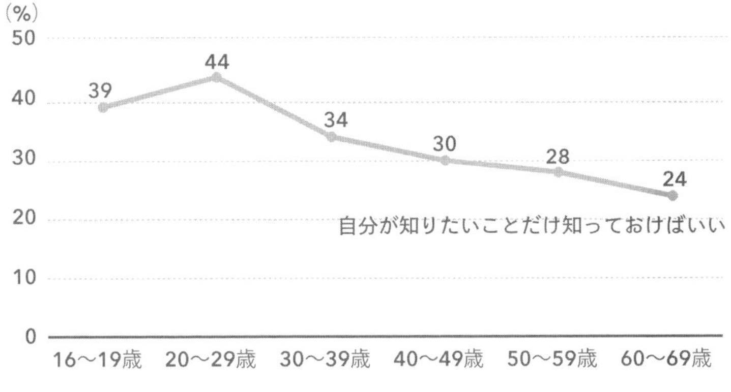

図表2-5　「自分が知りたいことだけ知っておけばいい」と回答した割合

「あてはまる」「まああてはまる」の合計。出所：NHK放送文化研究所（注2-1）

だけ知っておけばいい」という意識は、他の年層と比べ、やはり20代以下で特徴的なものとなっており、「卵が先か、鶏が先か」までは分からないものの、情報源の選択に影響しそうな他の情報意識とも関連していることが分かりました。

2-6 関心がある情報ジャンルの年齢差

では、実際に「知りたいこと」＝「関心がある情報」のジャンルや数に年層間の違いはあるのでしょうか。

「政治・経済・社会の情報」「生活に関わる実用的な情報」「音楽・芸能などの情報」など、代表的な情報ジャンルを9つ（「その他」を含む）提示し、その中から関心のある情報を複数回答で選んでもらいました。

■ 男女によっても、年齢によっても、関心は異なる

まず、16～69歳の全体の結果です。最も高かったのは「生活に関わる実用的な情報」（60%）と「政治・経済・社会の情報」（57%）で、「個人的な趣味に関する情報」（43%）、「グルメや旅行・レジャー情報」（41%）、「スポーツ情報」（40%）が続きました。

男女別で見ると、男性では「スポーツ情報」が高く、女性では「生活に関わる実用的な情報」「音楽・芸能などの情報」「最近の流行・はやりもの」が高いなどの違いがみられました。「個人的な趣味に関する情報」は、男性では20代～50代の各年層で5割前後にのぼったものの、女性で5割を超えたのは20代のみで、30代以上の各年層では3割台にとどまっています。

全体では6割近い人が関心を持っていた「政治・経済・社会の情報」ですが、やはり年層による差が大きいという結果が出ました。男性50代、男女60代で7割を超えるなど高年層で高いのに対し、16～19歳で22%、男女20代で3割台など、若年層で全体より低くなっています。

「政治・経済・社会の情報」以外のジャンルのみに関心があると回答した人をまとめると、16～19歳で75％、男性20代で49％、女性20代で62％など、若年層で全体より高くなりました。これらの結果から、若年層の中には、世の中の動きを伝える「政治・経済・社会の情報」が、「自分が知りたいことだけ知っておきたい」の対象に入っていない人が相当数いる可能性があります。

なお、「自分が知りたいことだけ知っておきたい」に「あてはまる」人と「あてはまらない」人に分け、年層差の影響を抑えるため39歳以下で「政治・経済・社会の情報」への関心があるかを見たところ、「自分が知りたいことだけ知っておけばいい」人は、「政治・経済・社会の情報」への関心が低くなりました。

一方、若年層で関心が高かったのが、前述の「個人的な趣味に関する情報」です。16～19歳では63％でした。また、女性の20代では「音楽・芸能などの情報」や「最近の流行・はやりもの」が6割程度と、全体より高くなりました。

■ 情報ジャンルによってメディアを使い分ける

このような関心のあるジャンルの種類が、日常的に利用するメディアと関係することは容易に想像できます。若年層のサンプルがより多く確保できるウェブ調査で、関心がある情報ジャンルごとに、よく使う情報源（メディア）について尋ねました。

特にソーシャルメディアの利用が活発な16～22歳の女性の結果を見てみましょう（**図表2-6**）。関心のある情報順に、最もよく利用する情報源（メディア）を並べてみます。1位の「音楽・芸能などのエンタメ情報」を得るときに最もよく利用するのはソーシャルメディア、2位「個人的な趣味に関する情報」もソーシャルメディア、3位「ニュース（政治・経済・社会の動き）」はテレビ、4位「グルメや旅行、レジャー情報」はソーシャルメディアと、ソーシャルメディアを中心にしながらも情報のジャンルによってメディアを使い分けている様子がうかがえました。

世論調査の結果に戻ります。2-3で述べた通り、年層によって利用メディアの違いが大きいため、39歳以下の「個人的な趣味に関する情報」に関心がある人とない人で毎日利用する情報源（メディア）に違いがあるかどうかを見ると、「個人的な趣味に関する情報」に関心がある人は、関心がない人よりも「(ソーシャルメディア・動画以外の）インターネット」「動画共有・配信サービス」「Twitter」の毎日利用が統計的に有意に高い、という結果になりました。

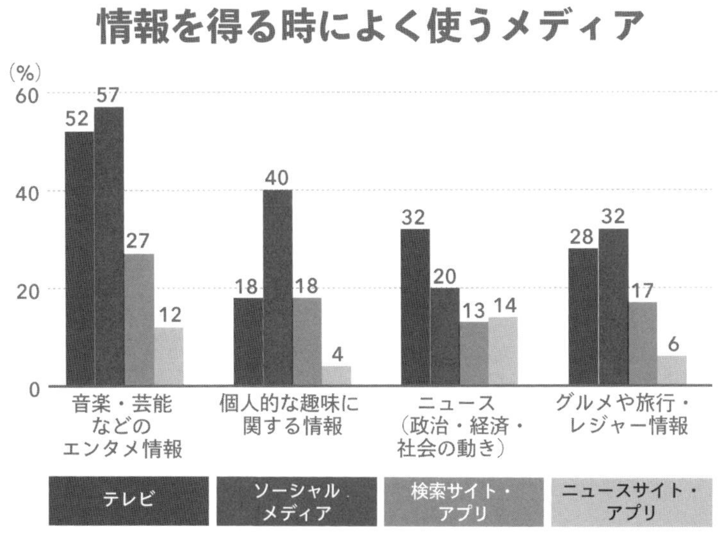

図表2-6　関心がある情報ジャンル別の情報源（ウェブ調査　女性16～22歳）
テレビは録画したものを含む。出所：NHK放送文化研究所（注2-3）

実際、調査の準備段階で取材したある女性の大学生は、「いま最もハマっているのはYouTubeで偶然知った南米の（少なくとも日本ではまったく無名の）アーティストの音楽で、新曲の情報などは本人の公式Twitterから直接入手している」と語っていました。このレベルの細かい情報をマスメディアがカバーするのは不可能でしょう。細分化された個人の趣味にピッタリ合う情報を提供する場として、テレビよりもソーシャルメディアが重宝されている状況には納得がいきます。

2-7 関心のあるジャンル数は男女で違う

ここまで、関心がある情報の「ジャンル」について見てきましたが、もう一つ注目したいのが、関心のあるジャンルの「数」です。若年層へのグループインタビューで、ニュースサイトの記事一覧画面を提示し、関心がある記事を挙げてもらったところ、そもそも興味のあるジャンルが非常に少ないことが印象的でした。そこで、先ほどの世論調査の質問で関心がある情報ジャンルとして挙げた項目の数が0または1のグループを「少ない・なし」、2～3のグループを「中間」、4以上のグループを「多い」として集計、分析してみました（**図表2-7**）。

結果は、「少ない・なし」は全体では11％ですが、16～19歳と男性20代では2割前後で、全体より高くなりました。また、この「少ない・なし」（266人）の人で、「自分が知りたいことだけ知っておけばいい」

	全体	16～19歳	男性					女性				
			20～29歳	30～39歳	40～49歳	50～59歳	60～69歳	20～29歳	30～39歳	40～49歳	50～59歳	60～69歳
少ない・なし（0～1）	11	**17**	**21**	14	11	9	12	7	10	12	9	9
中間（2～3）	43	**59**	47	**52**	48	41	43	46	34	42	36	38
多い（4～）	45	24	30	32	40	49	45	46	**55**	46	**54**	**51**
無回答	1	0	2	2	1	1	0	2	1	0	0	1

16～19歳は男性、女性を合算　　（％）

図表2-7　関心のある情報ジャンルの「数」

赤字は全体より有意に高い。出所：NHK放送文化研究所(注2-1)

は47%で、「中間」の33%、「多い」の24%を上回っています。

ここまでの結果を見ると、「自分が知りたいことだけ知ればいい」という意識の通り、20代以下では関心を持つ情報のジャンルが個人的な趣味に偏り、ジャンルの範囲も限られた傾向があるようです。総じて、男性のほうが少なく、女性のほうが多い結果になりました。

2-8 何を「ニュース」と見なしているか

では、「ニュース」についての意識を説明します。まず皆さんにお聞きします。次の2択のどちらと考えるでしょうか？

A　ニュースは政治や経済など社会の情報だ
B　ニュースは音楽や芸能などの情報だ

世論調査では上のように2択ではなく、9項目を挙げて「ニュース」だと思うものを複数回答で選んでもらいました。その結果から、何をニュースだと思うか、という意識が分かります。

全体で最も多かったのは、新聞やニュース番組が中心に報じているような「政治・経済・社会の情報」で89%、続く「スポーツ情報」の50%を大きく引き離しました。「政治・経済・社会の情報」は、男女年層別で見ても、若年層でも8～9割の人が「ニュース」だと認識していました。

ただし、若年層では他にもニュースだと認識している人が多い情報ジャンルがありました。「音楽・芸能などの情報」は、16～19歳で55%、女性20代30代で4割程度の人が「ニュース」と回答しています。「最近の流行・はやりもの」も16～19歳では3割に達しています。さらに、「政治・経済・社会の情報」以外の項目のみを「ニュース」だと回答した人たちが男性40代以下の各年層で1割程度存在することにも注目です。実際、NHK放送文化研究所が2018年に行った別の世論調査(注2-4)では、送り手である放送局側の認識ではワイドショーや情報バラエティに分類されるような番組を、「ニュース」番組だと認識している若者がかなりいるという結果も出ています。

このように、「ニュース」として意識される情報の範囲は広く、年層や性別によっては、必ずしも「政治・経済・社会」に関する情報ばかりではありません。

2-9 タイムラインが自分にとっての世間

89%がニュースだと答えた「政治・経済・社会の情報」は、普段、どこから入手しているのでしょうか。複数回答で選んでもらった結果が**図表2-8**です。

16～69歳の全体では「テレビ」が88%、次いで「新聞」が58%、「Yahoo!ニュース」が55%で続きました。年層別で見ると、「テレビ」「新聞」が高年層で高く、ネット系メディアが若年層で高いのは、毎日利用するメディアと同じ傾向です。ただ、ニュースの入手先としてのネット系メディアを細かく見ていくと、男女年層別でいくつか特徴がみられま

政治・経済・社会のニュースの入手先

	全体	16～19歳	男性					女性				
			20～29歳	30～39歳	40～49歳	50～59歳	60～69歳	20～29歳	30～39歳	40～49歳	50～59歳	60～69歳
テレビ（録画含む）	88	82	73	75	84	91	**93**	79	88	**92**	**93**	**94**
新聞（電子版除く）	58	26	33	37	60	**74**	**80**	27	38	54	**66**	**79**
Yahoo! ニュース	55	39	55	**65**	**67**	59	43	54	**69**	**65**	53	32
LINE NEWS	30	**58**	33	30	24	16	11	**53**	**46**	**44**	34	12
ソーシャルメディアで流れてくる記事	16	**44**	**33**	**21**	11	9	5	**48**	20	11	11	5
動画投稿・共有サービス	8	**23**	**17**	10	11	7	7	10	7	6	5	4

16～19歳は男性、女性を合算　（%）

図表2-8　ニュースの入手先

赤字は全体より有意に高い。出所：NHK放送文化研究所（注2-1）

した。

まず、政治・経済・社会の動きを伝えるニュースの入手先として、ネット系メディアの中で最も高かった「Yahoo!ニュース」ですが、20代～50代の幅広い年層で5割を超えているものの、全体より高いのは男女30代40代で、逆に16～19歳では39%にとどまっています。一方、全体では30%だった「LINE NEWS」は、16～19歳で58%、女性20代で53%と半数を超え、若年層で大きな存在感を示しています。

■ タイムラインに載らないものは存在しないのと同じ

この2つのネット系メディアについてグループインタビューで分かったことは、10代と20代前半の特に女性はネット経験がパソコンではなくスマートフォンから始まっていることです。そのため、パソコンのホーム画面で定番だった「Yahoo!」にそれほど慣れ親しんだ感覚がなく、「LINE NEWSにお気に入りのジャンルを登録しておいて通知をもらったほうが効率的」といった声がありました。

また、「ソーシャルメディアで流れてくる記事」も全体では16%にとどまっているにもかかわらず、16～19歳では44%、女性の20代では48%と、半数に迫る人が利用していました。グループインタビューでは、「ソーシャルメディアのタイムライン上で大抵のことは十分」という人や、「自分と価値観を共有していると思う相手からの情報が重要」という人がいました。

取材した都内の大学3年生（男性）は、「タイムラインの中が自分にとっての“世間”」「タイムラインに載らないものは自分にとっては存在しないのと同じ」だと語っていました。その学生は、ネット上の情報やアプリの通知があまりに多すぎて、自分が信頼できる、または同じような趣味嗜好を持っていると判断した人やブランドのアカウントだけをフォローすることで、あらかじめ情報を選別しているのだそうです。

ウェブ調査(注2-3)では、ソーシャルメディアのアカウントのフォロー数も尋ねています。女性の16～19歳や20～24歳では100以上のアカウントをフォローしている人が半数を超え、特に16～19歳では500を超えている人が1割いました。タイムラインの中だけでもそれだけの情報量が流れているとなると、情報源を絞り込むという「自衛策」が講じられるのは当然かもしれません。

■ 若者層では無視できない「スクロール動画」

世論調査の結果に戻ります。他にもニュースの入手先として、「動画投稿・共有サービス（YouTube、ニコニコ動画など）」が16～19歳で23%、男性20代で17%と、全体より高くなっていました。最近は大手メディアもYouTubeの公式チャンネルでニュースを配信している例がありますが、若年層を対象にしたグループインタビューでは、静止画を背景に文字のスクロールでニュースを伝える、いわゆる「スクロール動画」といわれる個人の投稿動画の利用者もいました。

通勤通学の電車内など、音声を聞けない状況でも内容を目で確認でき、再生スピードをあらかじめ上げておけば効率よく情報収集できることを利用する理由に挙げていました。スクロール動画の内容は別のメディア記事からのつまみ食い（しかも、情報ソースを明示していない）だったり、極端な視点からの一方的で偏った内容だったりすることも少なくありません。そもそも、「動画サイトなのに文字が下から上に流れるだけのチープな動画を誰が見るのだろう」と不思議に思っていましたが、この調査結果を見る限り、若年層では「ニュースメディア」として無視はできない存在だと思われます。

このように若年層では、自分であらかじめ関心があるジャンルや趣味嗜好の合った相手を選べるソーシャルメディアや、自分で好きな情報を検索できたり、利用履歴から自分好みの情報を勧めてくれたりするYouTubeなどのメディアが情報源として存在感を持っていることが分かります。若年層では自分が関心のある情報だけを効率よく収集したいと考えている人たちが多いため、そのニーズと合致したネット系メディアが利用されること自体は極めて合理的な選択ではないでしょうか。

2-10 ニュースの配信元を意識しない

Yahoo!ニュースやLINE NEWSといったインターネット上のニュースサイトは、テレビ、新聞社、雑誌、オンラインメディア、フリージャーナリストなど、さまざまな主体から記事の配信を受けています。そのため、「Yahoo!ニュースで見た」「LINE NEWSで見た」という場合は、どこかの新聞社がつくった記事を見ている可能性があります。そこで、ニュースに接したとき、その中に新聞社やテレビ局などが配信した記事があるかを複数回答で尋ねた結果をメディアのタイプ別にまとめました(図表2-9)。

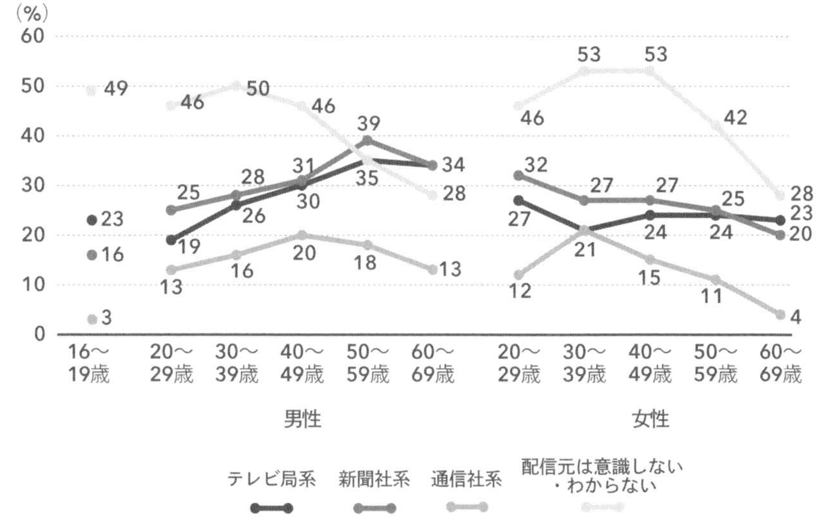

16～19歳は男性、女性を合算

図表2-9　ネットニュースで見た記事の配信元

出所：NHK放送文化研究所(注2-1)

16～69歳の全体では、「テレビ局系」が26％、「新聞社系」が28％、「通信社系」が13％という結果なのですが、実は、最も多かったのは「配信元は意識しない・分からない」で42％、特に男女30代、女性40代では5割に達し、全体より高くなりました。つまり、情報ソースが曖昧なままニュースに接触しているケースが少なくない可能性があるのです。

また、インターネットやソーシャルメディアで知った政治・経済・社会の動きを伝えるニュースが信用できないときにどのような対応をするか、選択肢を提示して複数回答で選んでもらった結果、「テレビの報道を見る」が45％、「新聞・ラジオ・雑誌など（テレビ以外の）マスコミ報道を見る」が33％と、全体（16～69歳）では、伝統的なマスコミ情報での確認が多かったのですが、年層別に見ると、20代では「（ソーシャルメディア以外の）インターネットのサイトやアプリで情報を探す」や「ソーシャルメディア上で情報を探す」が2～3割と全体より高く、「テレビの報道を見る」に迫っています。さらに、インターネットの項目のいずれかのみを回答した人をまとめると、男性20代ではおよそ2割に達しました。

2-11 能動的か受動的か、選択的か両論か

これまで、若年層の情報接触にはさまざまな特徴があることを見てきました。その中でも、特に重要な情報に対する意識の軸が2つあると思います。一つは、この章の冒頭で触れた能動的接触派か受動的接触派かという軸。そして、もう一つが、選択的接触派か両論接触派かという軸です（**図表2-10**）。

後者について詳しく見ていきましょう。「自分の好きなものに対する情報や他人の意見は、好意的なものだけ知りたい」（これを選択的接触派とします）と「自分の好きなものに対する情報や他人の意見は、否定的なものでも知りたい」（両論接触派）について、どちらが近いかを尋ねました。結果は、選択的接触派が全体（16～69歳）で40%。さらに、年層別で見ると16～19歳で61%、20代も47%と5割に迫り、若年層で全体より高くなりました（**図表2-11**）。いずれも、ソーシャルメディアでの情報収集が非常に活発な年層と重なります。

例えば、NHK放送文化研究所が取材したある大学生（男性）は、ソーシャルメディア上で見つけたタレントに好感を抱いても、まずは「（名前）（スペース）嫌い」「（名前）（スペース）ステマ」といったネガティブなワードと組み合わせて検索し、世間的に悪く思われていないか、どう評価されているのかを確かめてからでないとソーシャルメディア上で自分の態度を示さないそうです。必ず、ネット上で両極端な意見を確認するのが癖になっていると話していました。

一方で、いろんな意見で傷ついたり、不愉快になったりするのに疲れて、せめて自分が信頼する人（いわゆるインフルエンサーの人でした）

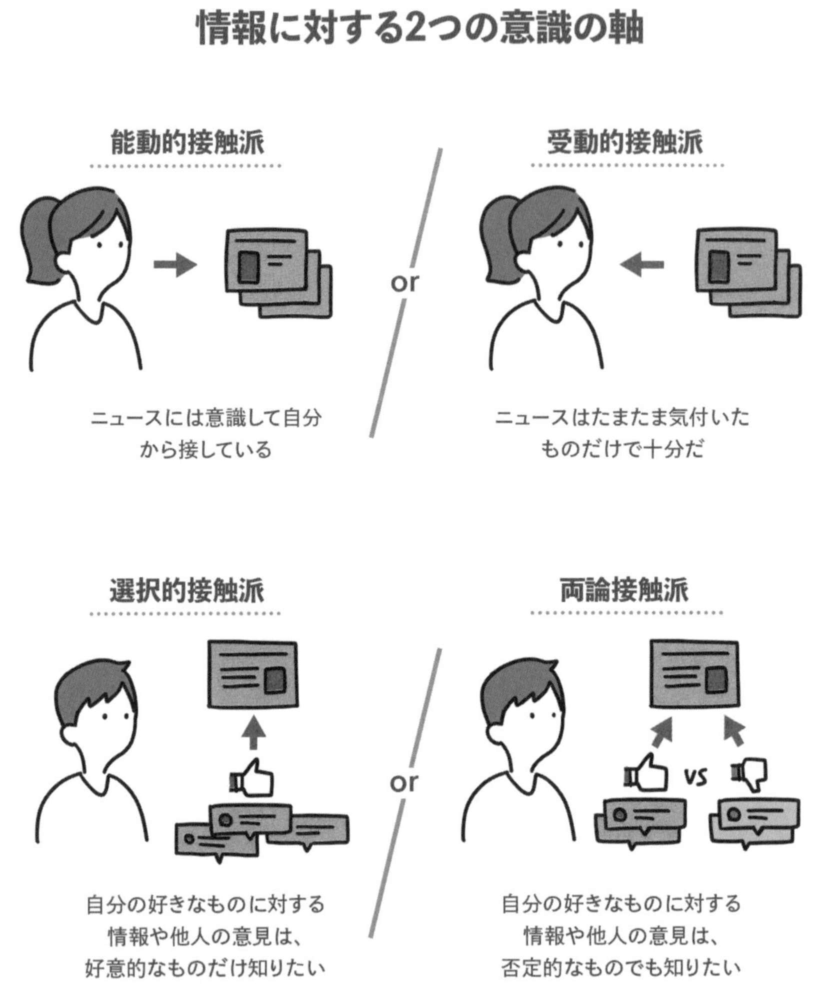

図表2-10　情報に対する２つの意識の軸

出所：久保田麻美/野々山正章

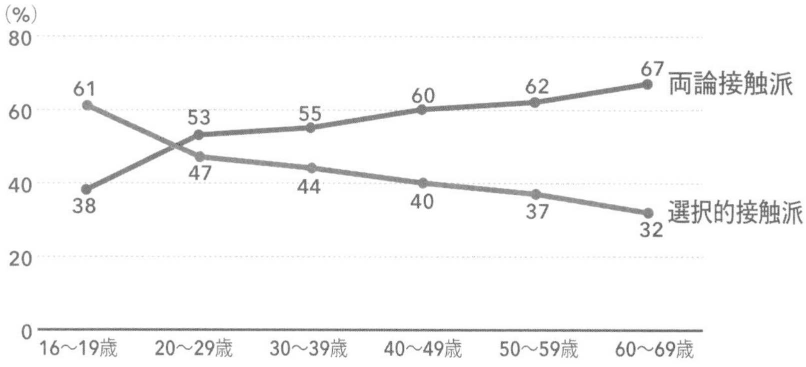

図表2-11　選択的接触派か両論接触派か

「近い」「どちらかといえば近い」の合計。出所：NHK放送文化研究所(注2-1)

の情報くらいは好意的な意見だけを聞きたいと思って、「事前にフォローするアカウントを選択する段階で細心の注意を払っている」という大学生（男性）もいました。

別の女性の大学生は、「自分のソーシャルメディアのタイムラインは居心地のいい情報だけで埋め尽くしたい」と語っていて、少しでも“違和感”を抱く発言があるとフォローを外してしまうそうです。彼女は、政治に関する話題は、まさに“違和感”の対象になると話してくれました。

これまで見てきたような、「自分が知りたいこと」かどうかで、情報の入手先の範囲をあらかじめ狭めてしまう傾向と、自分にとって好意的な情報だけに接触したいという選択的な意識が結びついたとき、人々がどのような行動を取るのか、今後も詳しく調査をする必要があります。

なお、16〜29歳では、どのニュースメディアのユーザーかにかかわらず、選択的接触派が5割前後に達していました。

2-12 まとめ：お互いの「ズレ」を分かり合う

この章では、ニュースを例にしながら、さまざまな「ズレ」を明らかにしてきました。「若い世代」「ソーシャルネイティブ」という世代ではなく、「ズレ」はグラデーションで起きていることが分かっていただけたのではないでしょうか。

「ニュースは能動的な接触から受動的接触へ」という新たな情報接触スタイルがみられました。また、関心の幅が狭く、政治・経済・社会の動きを伝える情報への関心度が低く、配信元を確認しない、などの態度から、「メディア・リテラシーが乏しいのではないか」と感じてしまう人もいるでしょう。しかしながら、今はテレビや新聞でなければ情報が得られない時代ではなく、24時間365日肌身離さず持っているスマートフォンから絶え間なく情報が届けられるメディア環境にいます。そうした環境では、能動的接触は非常に困難です。メディア環境が変われば、消費やマーケティングの方法も変わるように、メディア・リテラシーも変わっていくでしょう。すでにその片鱗は見えてきています。ここでは、受動・能動は、良い・悪いといった問題ではないとしておきます。大切なのは「ズレ」の存在です。

若い世代の情報やメディアへの接触が分からないという声を紹介しましたが、実は若い世代も自分たちの情報接触を理解されずに困惑しているのです。「はじめに」では、接する情報が多すぎるから、興味や関心に応じて人工知能（AI）を使って情報を絞り込んでくれるサービスが欲しいビジネスパーソンを紹介しましたが、同じ場にいた大学生はなぜそういう提案が出るか分からないという反応でした。そこで「ズレ」について説明すると、大学生は「違うから分からなかったんですね」と言ってくれたのです。

どちらが良いとか悪いとかではなく、実はどちらも分かっていなかったということです。「ズレ」ているから話がかみ合わないとすれば、「ズレ」を受け止め、「ズレ」ていることを分かり合うことが大切だと言えるでしょう。（図表2-12）

図表2-12　お互いの「ズレ」をわかり合う

出所：久保田麻美/野々山正章

第3章

変容するソーシャルメディア

3-1 ソーシャルメディアの使い方に「ズレ」

本章ではソーシャルメディアにポイントを絞ります。誰もがどこでも情報発信できるソーシャルメディアは、社会に大きな影響を与えています。ビジネス面で口コミやインフルエンサーの存在感が強くなったのは、ソーシャルメディアが大きく影響しています。情報接触スタイルに対する「ズレ」の認識が難しいのは、ソーシャルメディアの位置付けも大きな要因となっています。

まず、皆さんにお聞きします。ソーシャルメディアをどのように利用しているでしょうか？（**図表3-1**）

A　ソーシャルメディアはコミュニケーションツール
B　ソーシャルメディアは情報収集ツール

ソーシャルメディアのサービスにもよると思いますが、「友達の近況を知るため」など、知り合いとのコミュニケーションを目的にしている人が多いのではないでしょうか。ところが、20代以下では「情報を得るため」という回答が多いのです。

ここからは、若年層がソーシャルメディアでどのように情報に接しているのか、さらにその背景にはどのような価値観や情報観があるのかを見ていきます。今の20代は、物心ついたころからソーシャルメディアに触れてきた世代です。そうした世代の行動をヒントに、これからのメディアの形を考えてみたいと思います。

図表3-1　ソーシャルメディアをどのように利用していますか？

出所：久保田麻美/野々山正章

■ Facebookは3割止まり、急進するInstagram

まず、総務省の「情報通信メディアの利用時間と情報行動に関する調査報告書」から、主なソーシャルメディアの利用率の推移を見ておきましょう（**図表3-2**）。LINEの利用率は、2012年は20％程度でしたが、急

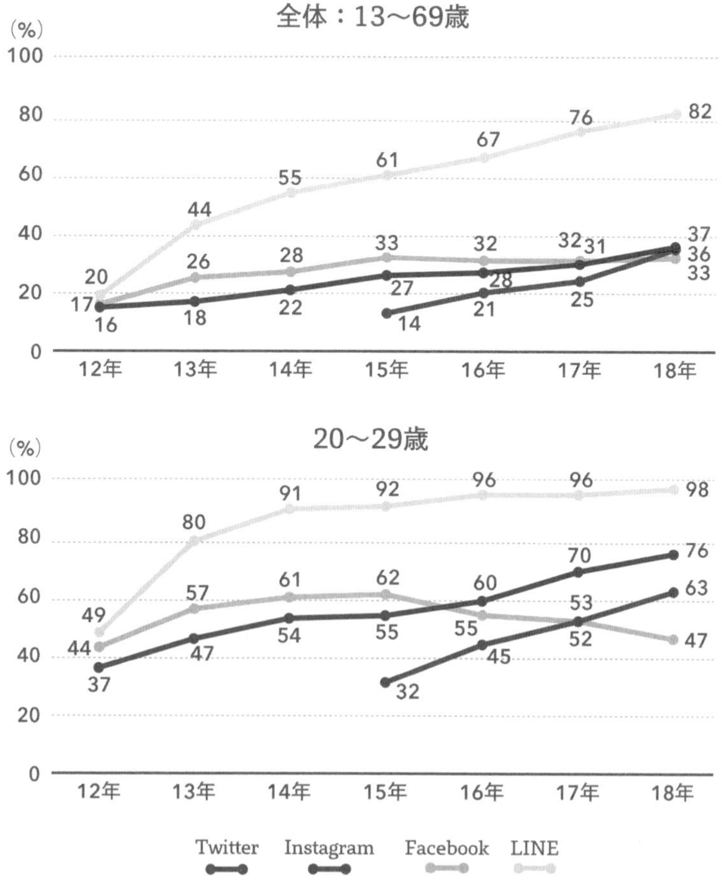

図表3-2　主なソーシャルメディア系サービス／アプリの利用率
出所：総務省（注3-1）

激に利用者を伸ばして2018年には8割に到達しています。Facebookは登場したのは比較的早かったのですが、利用率は3割にとどまっています。20代では、TwitterとInstagramで利用者が増えています。

■ LINEはインフラのような存在

続いて、NHK放送文化研究所の「情報とメディア利用」世論調査からLINE、Twitter、Facebook、Instagramについて男女年層別の利用率を見てみます（図表3-3）。

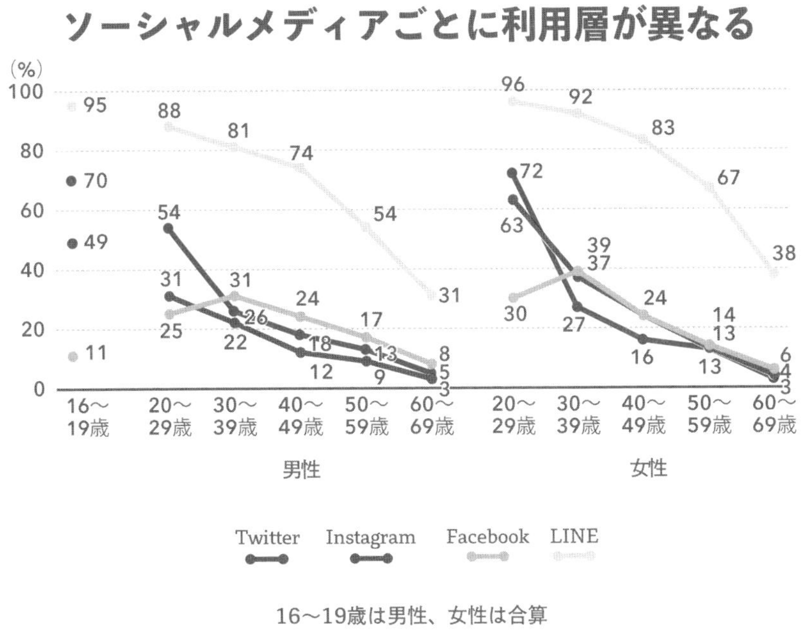

図表3-3 利用しているソーシャルメディア

出所：NHK放送文化研究所（注3-2）

LINEの利用率が圧倒的に高く、16～19歳と女性20代30代では9割以上が利用しています。男性20代30代、女性40代でも8割を超えています。LINEはメッセンジャーアプリとしての側面が強いですが、ニュースやゲーム、タイムラインなどさまざまな機能を持ち、いまや多くの人にとって情報インフラのような存在となっています。

続いてTwitterは、16～19歳と女性20代では7割以上、男性20代も半数以上が利用しています。しかし、30代になると男女とも利用者が2割台とぐっと少なくなります。また、Instagramは女性20代で6割と突出して多いですが、同じ20代でも男性では3割にとどまります。Facebookは、Twitter、Instagramと異なり、男女とも30代で最も多く使われています。

図表3-3から読み取れることをまとめると、次のようになります。

- ソーシャルメディアは男性より女性のほうが利用している
- LINE、Twitter、Instagramは年齢が上がるほど利用率が下がる
- Twitterを主に利用しているのは20代以下
- Instagramを最も利用しているのは女性20代
- Facebookを最も利用しているのは30代

特にTwitterは、20代以下の若年層で突出して多く使われています。若年層のソーシャルメディア利用を読み解く上では、このTwitterの使い方を知ることが、一つのカギとなりそうです。

3-2 キラキラInstagram、意識高い系Facebook

ソーシャルメディアとひと口に言ってもサービスの内容、世界観、ユーザー層はそれぞれ異なります。Twitter、Instagram、Facebookの各ユーザーに対して、異なるイメージを持つ人もいるのではないでしょうか。この項では、各ソーシャルメディア・サービスのユーザーがどのような人たちなのか、調査データを基に探っていきます。

ソーシャルメディアを利用する人の多くは複数のサービスを使っています。そこで、サービスごとのユーザー層の違いを明確にするため、Twitter、Instagram、Facebookについて、それぞれを最も利用していると答えた人を「○○ユーザー」（例えば、TwitterとInstagramを使っていても、Twitterを最も利用していると答えた人は「Twitterユーザー」）として、その特徴を見ていきたいと思います。

■ 最も若いTwitterユーザー

初めに、それぞれのユーザーの年齢構成比と男女比を確認しておきます。Twitterユーザーは20代が多く（32%）、20代以下で5割を占めます。男女比はおよそ半々です。Instagramユーザーは20代が多め（27%）ですが、30代（24%）40代（23%）も2割を超えています。そして、男女比は3：7と圧倒的に女性が多いことが特徴です。Facebookユーザーは40代が3割、30代と40代でも6割を占めています。

それぞれの特徴として、Twitterユーザーが最も若く、Instagramユーザーは女性が多く、Facebookユーザーは他の2つのユーザーよりやや年齢層が高い、と言えます。

■ 関心ジャンルが多いInstagramユーザー

こうした構成比を念頭に置きながら、それぞれのユーザーの価値観や行動を見ていきましょう。まず、関心ジャンルです（図表3-4）。

ソーシャルメディアごとに関心が異なる

Twitterユーザー		Instagramユーザー		Facebookユーザー	
個人的な趣味に関する情報	62%	最近の流行・はやりもの	60%	政治・経済・社会の情報	59%
音楽・芸能などの情報	51%	生活に関わる実用的な情報	56%	生活に関わる実用的な情報	58%
生活に関わる実用的な情報	48%	音楽・芸能などの情報	54%	個人的な趣味に関する情報	47%
政治・経済・社会の情報	43%	個人的な趣味に関する情報	53%	グルメや旅行・レジャー情報	45%
最近の流行・はやりもの	37%	グルメや旅行・レジャー情報	52%	スポーツ情報	42%
グルメや旅行・レジャー情報	33%	政治・経済・社会の情報	44%	音楽・芸能などの情報	41%
スポーツ情報	31%	スポーツ情報	38%	最近の流行・はやりもの	39%
近所や地元の身近な情報	15%	近所や地元の身近な情報	25%	近所や地元の身近な情報	25%
その他	2%	その他	3%	その他	4%
特にない	3%	特にない	3%	特にない	2%
無回答	1%	無回答	2%	無回答	1%

赤字は50%以上

図表3-4　関心がある情報ジャンル

「あてはまる」「まああてはまる」の合計。出所：NHK放送文化研究所(注3-2)

Facebookユーザーは、「政治・経済・社会の情報」「生活に関わる実用的な情報」に半数以上が関心を持っています。「政治・経済・社会の情報」に関心を持つ人は、InstagramとTwitterユーザーではどちらも半数以下なので、ニュースやビジネスに関心を持っているというのが、Facebookユーザーの特徴だと言えます。

Instagramユーザーでまず注目すべきは、関心のあるジャンル数が、他のソーシャルメディアユーザーよりも多いことです。半数以上の人が関心あると答えたジャンル数は、Instagramユーザーは5つもありますが、FacebookユーザーやTwitterユーザーは2つです。さらに、たくさんある関心ジャンルの中で最もInstagramユーザーの関心が高かったのは「最近の流行・はやりもの」でした。Instagramユーザーは、関心の幅が広く、好奇心が旺盛で新しいものに敏感な人たちです。

Twitterユーザーについて見ると、最も関心を持っている情報ジャンルは「個人的な趣味に関する情報」でした。また、選んだ情報ジャンル数が0～3個という人が63％と、Facebookユーザー（53％）やInstagramユーザー（43％）より多いという特徴もありました。これらは若年層の特徴と重なります。若年層が多いTwitterユーザーは、幅広い情報を求めるというより、自分の好きなものに関心が集中している人たちだと言えそうです。

■ 向上心が強いFacebookユーザー

さらにもう少し内面に踏み込んで、それぞれのユーザーに特徴的な価値観を見ていきます。

図表3-5は、「向上心が強いほうだ」「社会を良くするために自分も何

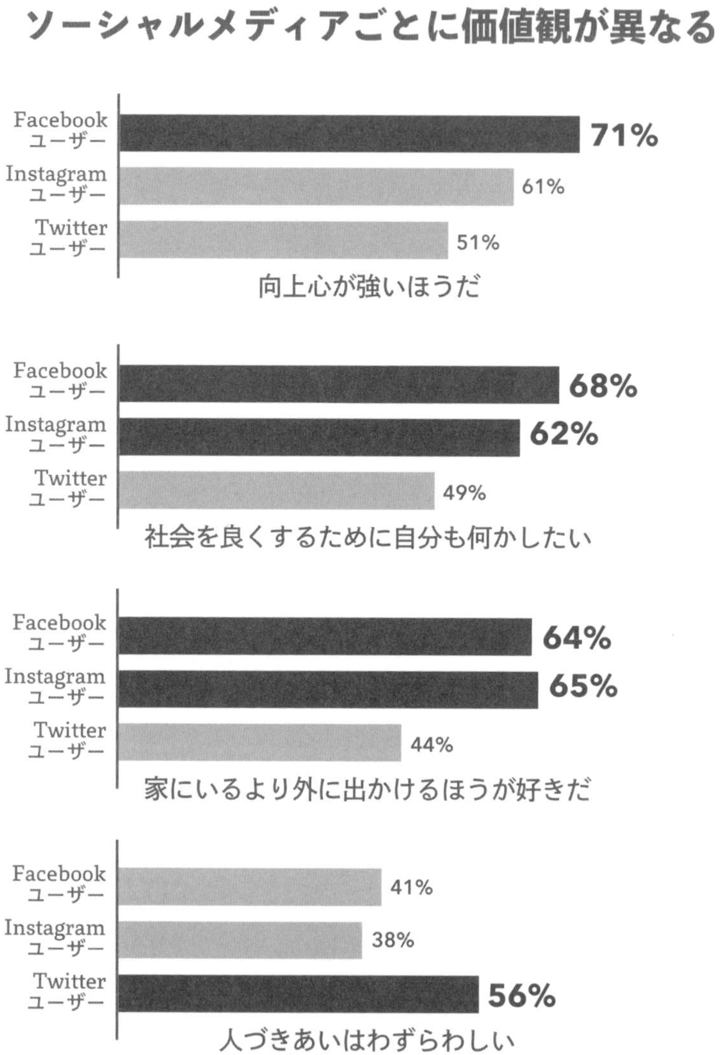

図表3-5 「向上心が強いほうだ」「社会を良くするために自分も何かしたい」「家にいるより外に出かけるほうが好きだ」「人づきあいはわずらわしい」に、「あてはまる」「まああてはまる」と答えた人の割合

出所：NHK放送文化研究所（注3-2）

かしたい」「家にいるより外に出かけるほうが好きだ」「人づきあいはわずらわしい」について、あてはまる（「あてはまる」「まああてはまる」の合計）と答えた人の割合を示したグラフです。

Facebookユーザーは、「向上心が強いほうだ」「社会をよくするために自分も何かしたい」という人が7割前後、「家にいるより外に出かけるほうが好きだ」という人も6割台と多く、逆に「人づきあいはわずらわしい」と思う人は半数未満です。向上心や社会貢献の意識が強く、人とのコミュニケーションにも積極的な人、ひと言で言えば「意識の高い」生活者だと言えます。

Instagramユーザーも、向上心が強いと答えた人はFacebookユーザーより少なくなっているものの、向上心、社会貢献、外出に積極的な人が、いずれも6割台と多くなっています。

対してTwitterユーザーは、向上心や社会貢献、外出に積極的な人が、FacebookとInstagramユーザーより少なく、逆に人づきあいをわずらわしいと思う人が5割を超えて多くなっていました。

■ ソーシャルメディアのユーザー像

それぞれのソーシャルメディアのユーザー像を利用層、関心ジャンル、価値観でまとめると**図表3-6**のようになります。

それぞれのソーシャルメディアの利用者に対して、これまで何となく思い描いていたイメージが数字で裏付けられたのではないでしょうか。

図表3-6　ソーシャルメディアのユーザー像

出所：久保田麻美/野々山正章

3-3 検索は「ググる」ではない

次に、若年層がソーシャルメディアをどのように使っているのか、そしてなぜソーシャルメディアを使うのかを見ていきます。

ソーシャルメディアでの行動を「閲覧する（見る）」「いいね・リツイートなどで反応する」「ツイートや投稿をする」「検索をする」に分けて、それぞれどの程度の頻度で行うかを尋ねました（**図表3-7**）。

毎日のように「閲覧する」人は、20代以下では8割を超え、サービス別には、TwitterとInstagramユーザーでほぼ8割が毎日のように閲覧し

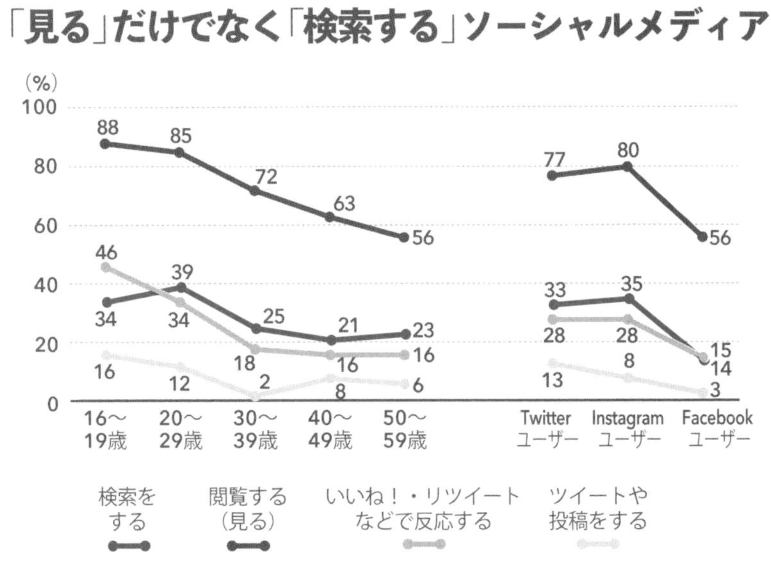

図表3-7　Twitter、Instagram、Facebookの内容別利用率（「毎日のように」）
出所：NHK放送文化研究所（注3-2）

ます。しかし、年齢が高くなるにつれ、毎日閲覧する人の割合は減り、また、Facebookユーザーでは半数程度にとどまります。20代以下やTwitter・Instagramユーザーにとって、ソーシャルメディアは毎日のように利用するものであるのに対し、30代以上やFacebookユーザーにとってはそこまで日常的なものではないようです。

「いいね・リツイートなどで反応する」「ツイートや投稿をする」「検索をする」については、20代以下でも毎日行う人は半数以下でした。

図は割愛しましたが、週に1日以上とすると、20代以下では「検索」と「いいね」は6～7割の人が行っていました。20代以下では、ソーシャルメディアで投稿を見るという行動は毎日のように行い、投稿に対して反応したり検索したりすることも、毎日ではないとはいえ、それなりの頻度で行っていることが分かります。

ここで注目したいのは、週に1日以上「検索をする」人の割合に、20代と30代の間で大きな差があることです。ソーシャルメディアを使った検索は、20代以下では7割以上が行っていますが（16～19歳：78%、20代：71%）、30代以上では半数程度にとどまります（30代：52%、40代：46%、50代：48%）。

20代以下にとって、ソーシャルメディアで「検索をする」のは当たり前ですが、30代以上にとってはそうではなく、ソーシャルメディアは若年層にとってのみ、検索ツールとして大きな役割を担っていることが分かります。30代以上にとっては「ググる」と言う言葉がよく使われるように、検索といえばまずはGoogleなどの検索エンジンを利用することが一般的で、20代と30代以上の間には、ソーシャルメディアの利用率だけでなく、使い方やその役割にも違いがあるのです。

3-4 コミュニケーションか情報収集ツールか

続いて、ソーシャルメディアを利用する理由を確認します。「個人的に知りたい情報が得られるから」を挙げた人は、20代で6割、16～19歳では7割にものぼります。一方、40代以上では半数に届きません。また、サービスごとに見るとTwitterユーザーでは7割弱、Instagramユーザーも6割弱ですが、Facebookユーザーでは3割台にとどまります（**図表3-8**）。

ソーシャルメディアを利用する理由

	16～19歳	20～29歳	30～39歳	40～49歳	50～59歳	Twitterユーザー	Instagramユーザー	Facebookユーザー
個人的に知りたい情報が得られるから	**74**	**63**	56	46	45	**68**	58	36
家族や友人、知人の近況を知りたいから	42	**50**	57	**50**	48	38	59	**61**
暇つぶしになるから	**63**	**64**	56	35	27	**50**	55	41
世の中の動きがわかるから	28	35	29	21	25	31	28	22
利用しているだけで楽しいから	46	34	20	12	12	28	26	13
周りが使っているから	36	25	17	15	12	16	25	18
お得な情報か手に入るから	17	25	19	17	14	21	17	16
記録に残したいから	7	19	19	15	12	9	21	15
本音を言えるから	8	7	2	1	0	7	2	0

60%以上　55%以上　**50%以上**　（%）

図表3-8　ソーシャルメディアを利用する理由（抜粋）

出所：NHK放送文化研究所（注3-2）

では、「家族や友達、知人の近況を知りたいから」という理由でソーシャルメディアを使う人はどのくらいいるのでしょうか。年代別には、30代で6割弱、20代で半数、16～19歳では4割でした。サービスごとの違いはさらに顕著で、FacebookとInstagramユーザーでは6割程度と半数を超えますが、Twitterでは4割に満たず、大きな差があります。

■ 20代以下にとっては情報ツール

20代以下では、コミュニケーションよりも情報収集目的でソーシャルメディアを利用する人のほうが多く、実際にソーシャルメディアでの検索も日常的に行っていました。サービス別には、Twitterユーザーでその傾向が強くなっています。一方、30代を境として40代以上、そしてFacebookユーザーでは、コミュニケーションを理由に使う人が多く、情報収集を目的とする人は多くありませんでした。

こうしたサービスによる違いは、Facebookは実名登録が基本で、相互リンクにお互いの承認が必要な知り合い同士のネットワークに重きを置いたサービスである一方、Twitterは、ユーザー間のリンクに双方向の承認が必要なく、次々と140文字という短いツイートが流れてくるようなサービスであるというそれぞれの特性を反映した結果となっています。またFacebookユーザーは30代40代が多く、Twitterユーザーは20代以下の若年層が多いというユーザー層の違いも影響しています。

比較的早い時期に普及したFacebookによってソーシャルメディアのコミュニケーションツールとしてのイメージが広がりましたが、今やTwitterを中心としたソーシャルメディアを利用する20代以下の若年層にとっては、ソーシャルメディアはコミュニケーションツールというよりむしろ、情報ツールとしての役割のほうが大きいと言えるでしょう。

■ Twitterはメモ、Instagramは思い出アルバム

以下は、調査企画段階のインタビューで得た20代の発言です。

「Twitterの"いいね"は、後から見返すメモとして使う」
「Instagramに投稿するのは、自分の思い出を残すアルバムとして」
「ニュースを知りたい時にはTwitterで調べている」
「Twitterは情報量が多く、自分が興味のある、知りたいと思うものが載っている」
「Twitterは情報がどんどん流れてくるので、"受け身"でいられる」
「Instagramは写真や位置情報、いろいろな情報が一度に手に入る」

これらからもソーシャルメディアが、何かを調べたり、情報を集めて記録したりするツールとして使われている実態がよく分かります。

本章の冒頭でソーシャルメディアをコミュニケーションに使うか情報収集に使うかの2択を示しましたが、筆者自身、TwitterやInstagramを利用し、顔も名前も知らない人の投稿を毎日のように目にしているにもかかわらず、ソーシャルメディアが普及した当初のイメージのまま「ソーシャルメディアはコミュニケーションツール」という前提で考えることが多かったように思います。しかし、そうした思い込みは実態と離れてしまったことがはっきりと分かりました。

多くの企業が若年層にアピールするためにソーシャルメディアを活用しようと試行錯誤しています。若年層を中心にソーシャルメディアの情報ツールとしての役割が大きくなっていることを認識しながら、情報、コミュニケーション両方の役割を自覚的に活用していく必要があるのではないでしょうか。

3-5 ソーシャルメディアは「テレビ」のよう

さてここからは、ソーシャルメディアが現在のメディア環境の中でどのような存在なのか、テレビと比較することで、その位置付けを把握したいと思います。

メディアとの距離感を測る「依存性」、メディアの効用としての「話題」「多様な意見」について、テレビとソーシャルメディアそれぞれに対する意識を尋ねました（**図表3-9**）。

■ 依存性が強いのは「テレビ」より「ソーシャルメディア」

まずは「依存性」に関する意識です。「ソーシャルメディアをチェックしていないと何となく不安だ」という人は20代以下では半数を超えていますが、年齢が高くなるにつれて減っていきます。一方テレビは、ソーシャルメディアとは逆に「テレビがついていないと何となく不安だ」という人が、年齢が高くなるほど増えていきます。しかし、50代60代でも4割前後と半数には届きません。メディアとしての依存性はソーシャルメディアのほうがテレビより強く、特にそれが若年層で顕著なことが分かります。

続いて「話題」に関する意識です。話題にするか、話題になっている「もの・こと」を「見たい・知りたい」と思うかについて尋ねると、若年層ほどソーシャルメディアについて話題にし、ソーシャルメディアで話題になっていることを知りたいと思う人が多くなっています。一方、テレビは年齢による違いがあまりありません。

テレビとソーシャルメディアに対する評価

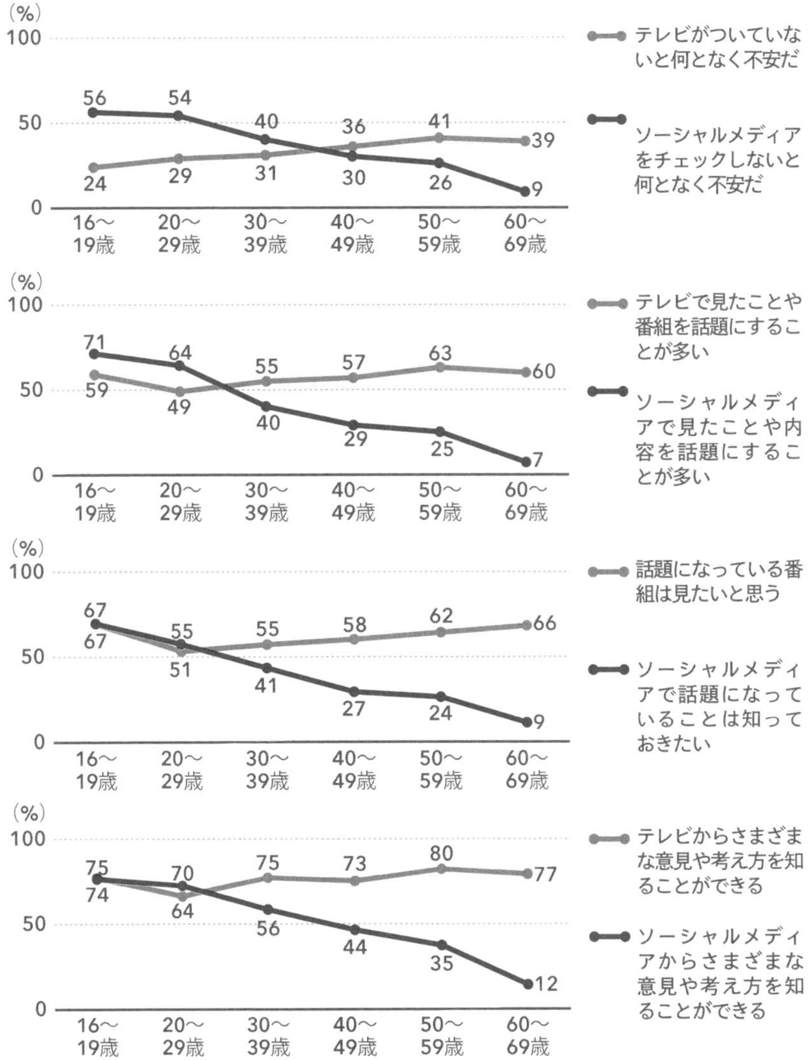

図表3-9 テレビとソーシャルメディアに対する評価

「あてはまる」「まああてはまる」の合計。出所：NHK放送文化研究所（注3-2）

若年層は、ソーシャルメディアに接する時間が長いので、必然的にソーシャルメディアについて話題にすることが多くなります。しかし、話題にさえなっていれば、それがテレビの番組であってもソーシャルメディアの投稿であっても、同じように「見たい・知りたい」と思っているのです。若年層にとっては、どのメディアのコンテンツかは問題ではなく、話題になっていること自体が重要で、話題を提供するメディアとして、ソーシャルメディアがテレビより高い位置付けにあることが分かります。

■ 多様な考えを知ることができるメディアは？

「多様な意見」について見ると、年齢によらず多くの人が「テレビからさまざまな意見や考え方を知ることができる」と思っています。一方、「ソーシャルメディアからさまざまな意見や考え方を知ることができる」と思う人は、20代以下だけが7割以上で、30代では5割台、40代以上では半数未満でした。その結果、30代以上では「さまざまな意見や考え方を知ることができる」メディアとして、テレビをソーシャルメディアより評価する人が多くなっていますが、20代以下では、ソーシャルメディアとテレビが同程度となりました。

主にフォローしているアカウントの投稿が流れてくるソーシャルメディアで、多様な意見を知ることができるという結果に違和感を持つ人もいるかもしれません。2-9で述べたように、女性16～24歳ではソーシャルメディアでフォローしているアカウント数が100以上という人が半数を超えていました。このように若年層ではフォローしているアカウント数が非常に多いため、多様かどうかは分かりませんが、たくさんの人の意見に接していることから、ソーシャルメディアに対してこうした感覚を持つのではないかと思います。

この項では、「依存性」「話題」「多様な意見」という観点でテレビとソーシャルメディアの位置付けを比較しました。40代以上ではまだまだテレビが存在感を持つのに対し、20代以下ではソーシャルメディアがテレビ以上に話題を提供してくれたり、テレビと同じくらい多様なことを知ることができたりするメディアとして認識されていることが分かりました。

そして、このような変化が起こったのはごく最近のことだったのです。

3-6 5年で位置付けが大きく変化

図表3-10は、2012年に行われた「デジタル時代の新しいテレビ視聴」調査の結果と、2018年の「情報とメディア利用」世論調査を並べたものです。質問の仕方や選択肢が異なるので、厳密な数値の比較はできませんが、ソーシャルメディアの位置付けがこの5年ほどで大きく変わったことが分かります。

2012年時点では、ソーシャルメディアを使うのはまだ一部の人にすぎず、20代以下でも共通の話題にはなり得ませんでした。そのため、どの年代も共通の話題が得られるメディアとしての認識は、テレビがソーシャルメディアを上回っていました。また、当時すでに若者のテレビ視聴は減っていましたが、それでも、テレビに対して「関心のない分野のことでも知識が得られる」と思う人は、どの年代でも4割以上と、ソーシャルメディアとは大きな差があり、若年層にとってもテレビはまだまだ新しい世界を知るきっかけを与えてくれるメディアでした。

ところが2018年になると、「人との共通の話題」「関心のないことに気付く」のどちらについても、ソーシャルメディアの評価が若年層で大きく上昇しました。その結果、「人との共通の話題が得られる」メディアとしては、20代以下ではソーシャルメディアがテレビを上回り、さらに「普段関心のないことでも、こんなこともあるのかと気付く」と、知らなかったことに目を向けるきっかけを与えるメディアとしても、テレビとほぼ同等の位置付けとなったのです。

一方30代以上では、話題を提供したり、関心外のことに気付いたりするメディアとしての位置付けは、まだまだテレビのほうが高いままです。

2012年から2018年で変わったメディアの評価

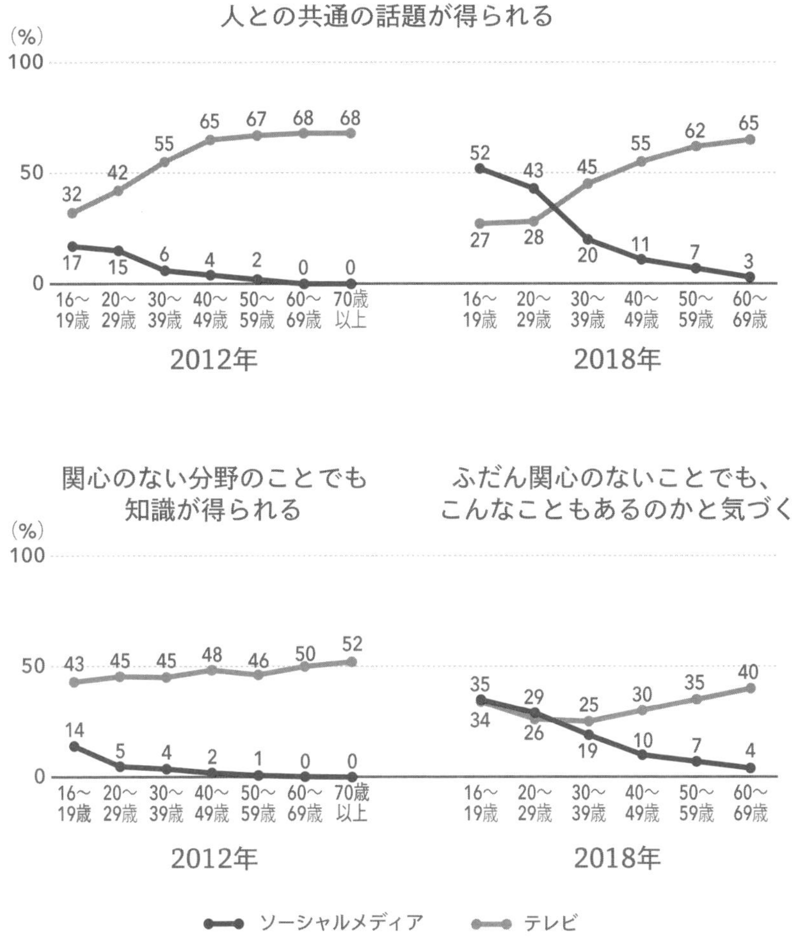

図表3-10　テレビとソーシャルメディアの位置付けの変化

出所：NHK放送文化研究所(注3-3)

この5年ほどの間に、ソーシャルメディアがテレビと同じかテレビ以上に、人との共通の話題が得られ、視野を広げるきっかけを与えてくれるメディアとして、特に若年層から存在感を増してきていることが分かります。

3-7 仕組みは分かった上で便利に使う

ソーシャルメディアが情報を得るためのツールとして、大きな存在感を持ち始めていることを見てきましたが、このような情報環境の中、ニュースに対して受動的に接する人々が登場してきていることを、2-1で紹介しました。こうした受動的な態度で情報に接する彼ら彼女らの情報世界はどのようなもので、どのような情報観を持っているのでしょうか。

■ フォローしていないアカウントのツイートも表示される

ソーシャルメディアを含めた多くのインターネット上のサービスでは、利用者の属性や閲覧履歴、クリック履歴といった行動情報などを基に、表示する情報を利用者ごとにカスタマイズするような仕組みが使われています。例えばTwitter社は、タイムラインの表示について、以下のように説明しています(注3-4)。

*トップツイートは利用者が強い関心を持つであろうと考えられるツイートであり、**利用者が普段からたくさんのやり取りをするアカウントや反応したツイートなど、多くの要素に基づき選択**されます。*
(中略)
*さらに、おすすめのツイートやアカウントのほか、人気や関連性の高いコンテンツがタイムラインに追加されるため、**フォローしていないアカウントのツイートが表示される**ことがあります。*

タイムラインには「利用者が強い関心を持つであろう」ツイートが上位に表示され、利用者がフォローしているアカウントのツイートだけでなく、Twitter社の判断によってフォローしていないアカウントのツイートも表示されていることが分かります。

このようなレコメンドの仕組みにより、ソーシャルメディアでは利用者ごとの関心に沿った情報に触れやすくなるだけでなく、利用者は“自分が知らなかった”けれども“興味がある”可能性の高い情報に接する機会までも得ることができます。こうした情報に触れることにより、若年層は「個人的に知りたい情報を得られるから」ソーシャルメディアを使っているにもかかわらず、「普段関心のないことでも、こんなこともあるのかと気付く」メディアとしてソーシャルメディアを評価するようになったのではないでしょうか。

■ タイムラインの仕組み「知らない」60代以上

さて、人々はこうしたレコメンドの仕組みについて、どの程度自覚的に接しているのでしょうか。インターネットの閲覧履歴などから、利用者の好みに合わせた情報や広告が提供されることについて、知っていたかを尋ねたところ、40代以下では約8割が「知っていた」と答えました（図表3-11）。

また、Yahoo!ニュースやLINE NEWSといったインターネットやソーシャルメディアでニュースを最も見聞きしている人のほうが、テレビや新聞といったマスメディアでニュースを見聞きする人よりも、「知っていた」と答えた人の割合が高くなっていました（Yahoo!ニュース86％、LINE NEWS69％、新聞46％、NHKのニュース・報道番組40％、民放のニュース・報道番組53％）。普段、ネットやソーシャルメディアを使っている人は、このレコメンドの仕組みを知った上で利用していると言えます。

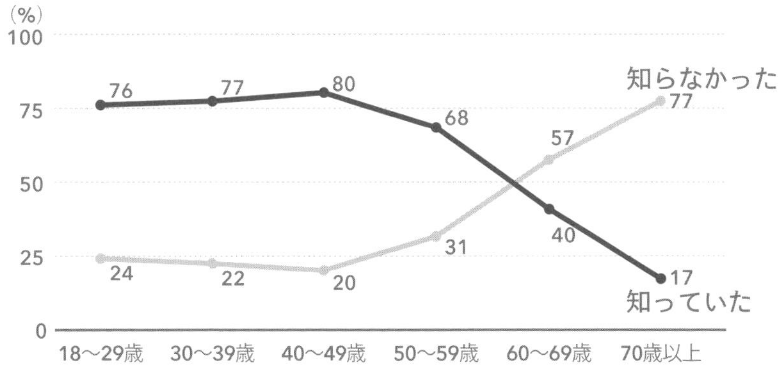

図表3-11　インターネットの閲覧履歴に基づくレコメンドの認知
出所：NHK放送文化研究所（注3-5）

一方、60代以上はそもそもインターネットでニュースを見ない人が多いのですが、これらの情報提供サービスについて知らない人が過半数を超え、70歳以上では77%の人が知らなかったと回答しています。

■若者はレコメンドを「便利で効率的」と評価

さらに、レコメンドの仕組みについて「どのように思うか」を見ると、全体（18歳以上）では「知らないうちに自分の情報が集められていることに抵抗がある」や「望んでもいないのに、情報が提供されるのは迷惑だ」という否定的な評価が上位にあります。しかし、男性20代以下では「好みに合った情報が提供されるので便利だ」が全体より高く、女性20代以下では「抵抗感」が高いものの、それに続いて「便利」と「関連するさまざまな情報を効率的に知ることができてよい」という肯定的な評価が上位に入っていました（**図表3-12**）。

若年層は、インターネットやソーシャルメディアで表示されている内容が自分向けにカスタマイズされる仕組みを自覚した上で、便利で効率的だと評価していることが分かります。

溢れる情報の中で「知りたいことだけ知りたい」と思う若者たちにとって、関心のある情報を効率的に入手できるソーシャルメディアを便利に思うことは当然です。さらに、知らなかった情報、関心がなかったけれど面白そうな情報までも自動的に提示してくれるソーシャルメディアを使わない理由はありません。

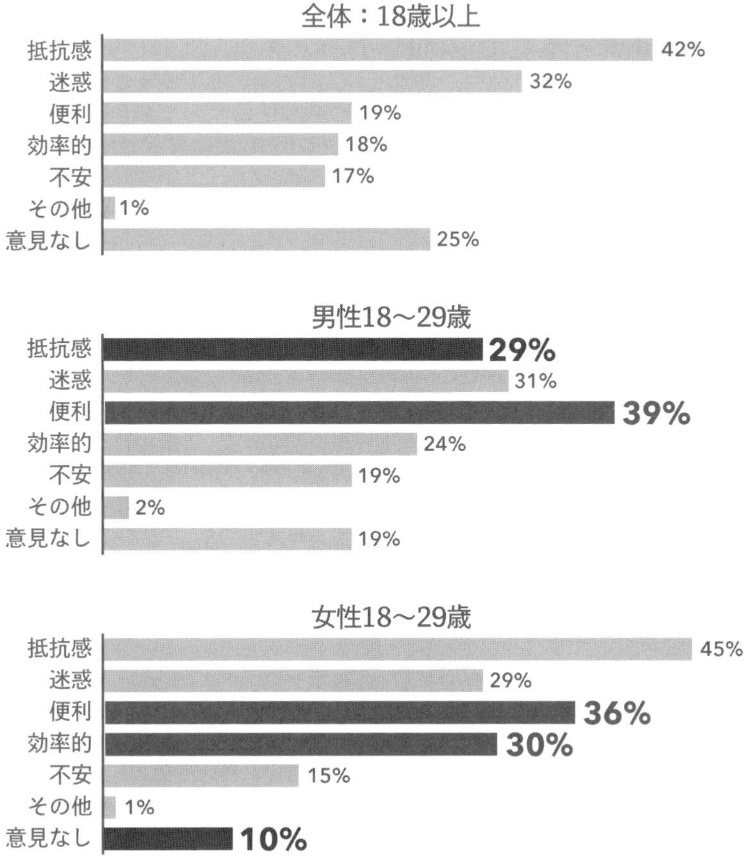

抵抗感：知らないうちに自分の情報が集められていることに抵抗がある
迷惑：望んでもいないのに、情報が提供されるのは迷惑だ
便利：好みに合った情報が提供されるので便利だ
効率的：関連するさまざまな情報を効率的に知ることができてよい
不安：偏った情報や意見だけに接するのは不安だ
その他：その他
意見なし：特に意見はない

図表3-12 インターネットのレコメンドについての印象

赤字は全体に比べ有意に高く、**黒太字**は有意に低い。出所：NHK放送文化研究所（注3-5）

3-8 信頼は「ない」が利用する

「フェイクニュース」という言葉が社会的な問題として認知されています。ソーシャルメディアの信頼性に疑問を持つ人も多いですが、実際の利用との関係はどうなのでしょう。

「ニュースや情報を得るうえで」という条件で、メディア別にどの程度信頼しているかを尋ねたところ、NHKテレビを「信頼している」「どちらかといえば信頼している」と答えた人は80%、「新聞」は77%でした。一方、Yahoo!ニュースなど「インターネットのニュースサイト・アプリ」は44%と半数に満たず、ソーシャルメディアに至っては信頼して

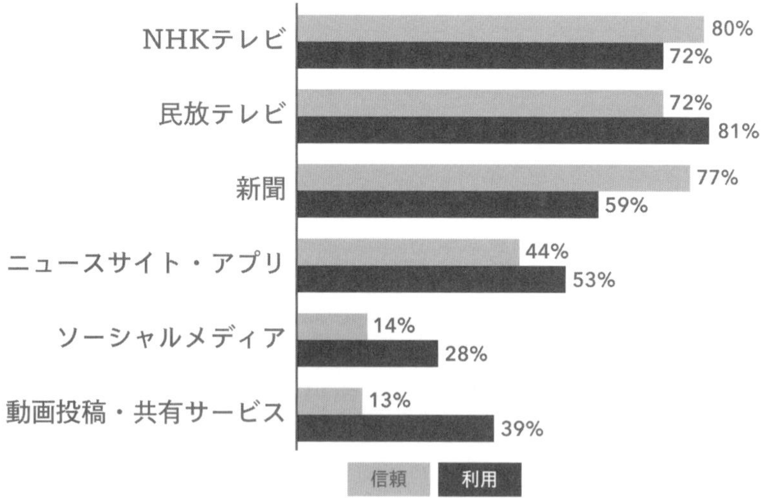

図表3-13　ニュースや情報を得るメディアの利用と信頼

「信頼している」「どちらかといえば信頼している」の合計。出所：NHK放送文化研究所（注3-6）

いる人は14%しかいませんでした。ところが実際に利用している割合は、インターネットのニュースサイトが53%、ソーシャルメディアも28%と、「利用している」が「信頼している」を上回っています（**図表3-13**）。

■ ニュースサイトを利用する理由、16～29歳は「使いやすいから」

なぜ、信頼していないのにソーシャルメディアなどのネット系メディアをニュースや情報の入手先として利用するのでしょうか。ニュースサイトやアプリを使う理由を尋ねた結果を見てみます（**図表3-14**）。

	年代別			ニュースサイト・アプリ別		
	16～29歳	30～49歳	50歳以上	Yahoo!ニュース	LINE NEWS	Twitter
無料だから	46	48	**53**	**50**	**55**	41
使いやすいから	**56**	49	41	44	**63**	**52**
さまざまなメディアによる情報をまとめて見ることができる（聞ける）から	35	41	44	48	28	33
情報に速報性があるから	30	32	42	37	28	**51**
たくさんの情報を知ることができるから	34	31	33	33	21	39
読者や視聴者の意見やコメントを見ることができる（聞ける）から	10	12	10	13	2	20
正確な情報を知ることができるから	8	6	12	6	5	7
ニュースサービスや制作者の視点や考え方を見ることができる（聞ける）から	7	5	6	5	3	5

（%）

図表3-14　ニュースサイトやアプリを使う理由（抜粋）

赤字は50%以上。下線を引いた数値は、Yahoo!ニュース、LINE NEWS、Twitterの中で他の2つより10ポイント以上高い。出所：NHK放送文化研究所（注3-6）

ニュースサイト・アプリの利用者全体では、「無料だから」「使いやすいから」「さまざまなメディアによる情報をまとめて見ることができる(聞ける)から」が上位に挙がりました。

年齢を大きく分けて傾向を見ると、16～29歳では「使いやすいから」が5割を超え、情報の質に関わる「正確な情報を知ることができるから」は1割にも届きませんでした。

■ まとめて見られるYahoo!ニュース

さらに、ニュースサイト・アプリそれぞれの利用者の違いを見ることで、そのサービスに求めているものを明らかにしたいと思います。

Yahoo!ニュースを最も利用する人は、「さまざまなメディアによる情報をまとめて見ることができる（聞ける）から」が48%とほぼ半数となり、LINE NEWSやTwitterを利用する人に比べて10ポイント以上多くなりました。これは、Yahoo!ニュースのキュレーションメディアとしての特徴と合致しています。ただし、**図表3-14**の通り、この理由は16～29歳の若年層では3割と30代以上が4割台であるのと比べて低めで、若年層にとってはあまり重要ではないようです。

Twitterを最も利用する人では、「情報に速報性があるから」が51%と5割を超えました。Yahoo!ニュース、LINE NEWSと比べても10ポイント以上も高く、「速報性」がかなり重要視されていることが分かります。また、「読者や視聴者の意見やコメントを見ることができる（聞ける）から」も20%と、Yahoo!ニュースの13%、LINE NEWSの2%に比べると比較的高い数値となっています。

LINE NEWSを最も利用する人では、「使いやすいから」が63%と6割を超え、Yahoo!ニュース、Twitterと比べて10ポイント以上も高くなりました。逆に、「無料だから」を除くと、それ以外の多くの項目は3割に満たず、LINE NEWSを最も利用する人にとっては「使いやすいから」がサイトやアプリの選択理由として非常に重要であることが分かります。

この調査で調べたLINE NEWSの利用率は16～29歳の男性で49%、女性で62%と若年層のほぼ半数以上でした。しかも利用者の数はその前年（2017年）から増加しています。それだけに、このLINE NEWS利用者が評価する「使いやすさ」とは具体的に何なのかが気になります。

■「わざわざ別のアプリを開くほどの手間はかけない」

NHK放送文化研究所では毎年春に研究成果を伝えるための「NHK文研フォーラム」を開催しています。2019年の「フォーラム」の中で開かれたシンポジウムで、都内の大学2年生（女性）にLINE NEWSの「使いやすさ」について尋ねたところ、インターフェースのことではなく「自分が（普段）使っているアプリの中から移動せずに使えるから」という答えが返ってきました。彼女によると、日中のちょっとした空き時間で開くアプリは3つ程度しかなく、その中でも特にLINEアプリをよく見るので、LINEを見たときに画面をスライドするだけでニュースを確認できることがLINE NEWSを使う大きな理由だそうです。一般的なニュースは無料で“そこそこ”の信頼度さえあれば十分で、わざわざ別のアプリを開くほどの手間はかけない、とも語っていました

2019年夏にNHK放送文化研究所が16歳以上を対象に実施した別の調査では、LINE NEWSを最も利用する人が69人と少数のため誤差が大きいことに留意する必要はありますが、「いつも使っているから」22%、

「いつでもどこでも利用できるから」13％、「通知が来るから」10％の3つの利用理由が、全体よりも高くなりました。LINE NEWSを最も利用する人で、利用理由の1番目に「情報が信頼できるから」を挙げた人はほとんどいませんでした。

若年層を中心にニュースメディアの選択には、普段から身近でアクセスしやすいという「利便性」が重視されているが、それを「信頼」をしているわけではない、という割り切った状況が見えてきます。

3-9 まとめ：冷静で合理的なメディア選択

2000年代に入り急速に普及したソーシャルメディアは、コミュニケーションツールから情報ツールへと利用の幅が広がりました。テレビと比較すると、若い世代では話題の供給源としてソーシャルメディアが優位となり、さらに関心のない分野の知識が得られるメディアとして、テレビとソーシャルメディアが並列的な位置付けになったことも明らかになりました。ソーシャルメディアはサービスごとに異なる特徴や利用者像があり、変容していくソーシャルメディアの役割に視点を切り替える必要があります。

第2章では、ニュースに対する受動的接触派が増え、メディア・リテラシーへの懸念を紹介しましたが、情報への新たな接触スタイルを採る若者は、総じて冷静に情報メディアを選択し、インターネットの情報も、必ずしも信頼はしていない状況で利用するなど、限られた時間の中で合理的に情報を集めているように見えます。閲覧履歴や好みに合わせて情報が提供されるというレコメンドの仕組みも理解した上で利用しています。

ヒアリング調査でこんなエピソードがあります。一般的なニュースに「まったく関心がない」と語っていた20代の女性がいました。テレビのニュースも新聞も見ず、普段は自分の趣味に関係する情報にだけスマートフォンで接しています。ところが、南米のある国の政変を伝えるニュースに興味を示しました。理由を聞くと、いまは就職活動中で、志望先企業の支社がその国にあるからだそうです。その人の中で「自分事」だと思う文脈にさえ出会えれば、地球の反対側にある国の政治ニュースでも興味の対象になるのだと改めて気付かされました。

どのような業界にとっても、昔のように人々を単一の「マス」として捉えることはできません。並列的に多様なメディアを利用している若者へのリーチのカギは、伝えたい情報が相手にとっての「自分事」になる文脈をいかに用意できるか、がポイントになりそうです（図表3-15）。

冷静で合理的なメディア選択

図表3-15　冷静で合理的なメディア選択

出所：久保田麻美/野々山正章

第4章

たまたまが生む「残念」なニュース体験

4-1 メディアに関する大学生の謎に迫る

前章までは豊富なデータを使った量的な調査で分析してきましたが、本章は生活者にフォーカスした質的な調査で、新たな情報接触スタイルを解明していきます。

■ 大学生はどんなニュースを見ているのか

この章で紹介する調査は、大学生のニュース接触に関する「日記式調査」です。法政大学社会学部の学生（2～4年生）を対象に、2017年11月6日～12日に実施しました（注4-1）。複数の授業内で協力を呼びかけ、調査に参加してくれることになった学生には、調査期間中、ニュースに接触するたびに、その時に見たニュースに関する簡単な感想とその時の状況を記録するように依頼しました。また、ニュースに接触した媒体（テレビ、紙の新聞、パソコン、スマートフォンなど）と、接触したアプリやサイト（Yahoo!などのポータルサイトやTwitterやFacebookといった具体的なソーシャルメディア名）、さらに、記事のスクリーンショットや、テレビや新聞の場合は、画面・紙面をスマートフォンで撮影した写真も残してもらい、これら一式をメッセンジャーで調査員に送付してもらうという形で調査を進めました（**図表4-1**）。

すぐにメッセンジャーで送付することで調査の負担を軽くするとともに、送付された写真に写っているタイトル、配信社名、記事内容が見えるので、学生たちが、どんなニュースを、どの媒体を経由して接触しているのか、そのニュースの制作者は誰なのかも確認できます。ポータルサイトやキュレーションサイトに配信された、どの新聞社の記事に触れたのか、という部分まで徹底解明しようという取り組みです。35人の

図表4-1　学生から送られてきたニュースを撮影した画像
出所：藤代裕之

学生の協力を得ましたが、今回は、分析対象を国内メディアへの接触機会に限定するため、すべてのニュース接触が海外メディアだった1人を除く34人（男性18人、女性16人）のデータを見ていきます。34人の1週間の記録で、最終的に、625件のニュース接触記録が集まりました。以下では、その625件のニュース接触記録を分析対象とし、

・学生がどんなニュースを見ているのか
・学生がニュースを見たときどんな気持ちになるのか

を中心に見ていくことにします。

■ ニュースの定義は大学生の自己判断

ニュースの定義は「既存マスメディアのものに限らず、自身がニュースと考えればニュースだと幅広く捉えてほしい」と広くすることで、学生はどのような情報をニュースだと考えているのかも知る狙いとしました。第2章ではニュースの捉え方が変化し、マスメディア側の認識ではワイドショーや情報バラエティに分類されるような番組を、「ニュース

番組だと認識している若者がいる」という話がありましたが、果たしてどうでしょうか。

大量の情報に接触している中で、学生がニュースだと思った情報を送付してもらう仕組みなので、量的調査では分からなかった、具体的な、気になる、伝わっているニュースも分かります。

4-2 入り口はYahoo!ニュースとTwitter

前述の通り、調査期間中のニュース接触の合計は625件です。媒体別では、スマートフォンが463件、テレビが90件、新聞が56件、電車内のサイネージ6件、パソコン（PC）と授業時に見た映像が各1件、さらに複数のメディアを併用しているケース、すなわち、テレビとスマートフォン、新聞とスマートフォン、テレビと新聞に同時に接触する、いわゆるダブルスクリーンと呼ばれるケースが8件です

スマートフォン経由では、Yahoo!ニュースが最も多く163件、次いでTwitterが125件、LINE NEWS47件、はてなブックマーク35件と続きます。なお、はてなブックマークは1人の学生の利用です（後述する**図表4-6**の学生）。ビジネスパーソンで話題となるNewsPicksは3件、

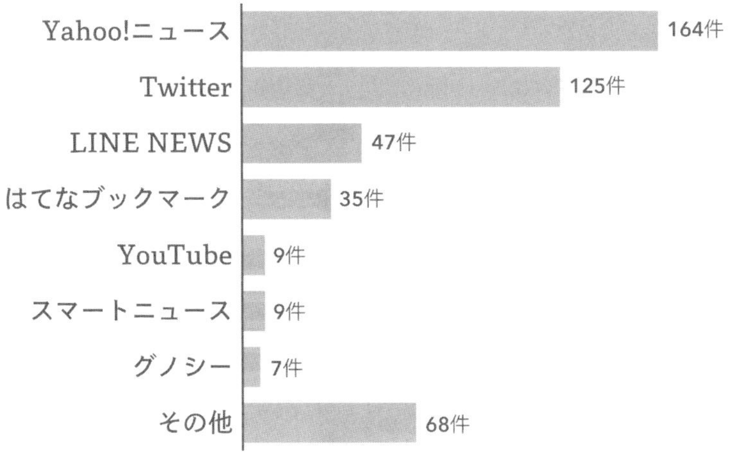

図表4-2　学生のニュースの入り口となる媒体（パソコンからの接触を含む）
出所：藤代裕之

Facebookは1件しかありませんでした。その他は、検索したり、直接サイトを見たりしたもので、学生はポータルサイトやソーシャルメディアを通じて、ニュースに接触していることが分かります（**図表4-2**）。

■ パソコンが中心だった2011年から変化

2011年4月に東京都内の大学院生20人を対象に日記形式でニュース接触を調査した研究があります（注4-2）。5日間でニュースの接触は合計220件、最も多いものはインターネット（PC）113件、次いでテレビ56件、モバイル機器は31件でした。今回の調査は、スマートフォンから画像を送ってもらうという調査手法のため、多めに出ているという点を差し引いても、6年の間にニュースの接触がスマートフォン中心に大きく変化したことが分かります。

■ 大学生が触れたニュースは新聞社・通信社が上位

Yahoo!ニュースやTwitterは、ニュースへの入り口にすぎません。スマートフォン経由で接触した新聞社や雑誌社、ニュースサイトなどのニュース制作者を数えると137もあります。膨大なニュース制作者の中で接触が多いのは、朝日新聞デジタルの42件、次いで毎日新聞の23件、時事通信の21件と、新聞社・通信社系サイトが上位となっています。ネット専業ではハフィントン・ポスト、バズフィードが8件で、ニュースサイトが上位となっています。二桁以上の接触がある制作者は、朝日新聞デジタル、毎日新聞、時事通信、読売オンライン（読売新聞）、産経新聞、AFP、日刊スポーツ、NHKとなっています。学生が触れたニュース制作者の一覧は論文（注4-3）に掲載されています。

その他の制作者によるニュースへの接触数は非常に少ない状況で、ロングテール化しています。ロングテールとは、アマゾンなどのビジネスモデルを説明する用語で、売れ筋商品はわずかで、ほとんど売れないニッチな商品が多くなる状況を示したものです。3-6ではソーシャルメディアがテレビと同じような位置付けになり、以前よりも「人との共通の話題が得られる」メディアになりつつあるというデータがありましたが、少なくともニュースというジャンルに関しては、その接触がロングテール化しているため、テレビのようにみんなとの共通の話題が簡単に得られるわけではなさそうです。共通の話題をどう捉えるのかについては、詳しくは第6章を見てもらうとして、ここでは制作者の増加とそれに伴うニッチなニュースの増加が、共通の話題になるニュースが生まれにくい状況を生んでいることを確認しておきましょう。

4-3 重みを増す移動中のすきま

学生はどのような場所でニュースに接触しているのでしょうか。1-7では朝から晩までスマートフォンに触れている状況がありましたが、学生は、自宅309件、移動中153件、学校93件、外出先53件という場所でニュースに接触していました。スマートフォンだけに限ると、自宅188件、移動中147件、学校60件、外出先49件と一気に移動中の接触率が高まります（**図表4-3**）。

■ テレビや新聞は移動中には見ていない

媒体別に確認すると、テレビは自宅88件（ダブルスクリーンを入れると92件）、外出先2件、新聞は学校32件、自宅24件（ダブルスクリーンを入れると31件）、となっています。テレビや新聞は移動中の接触はありません。テレビという箱や新聞紙を、移動中に見ている人はほとんどみられませんでした。

以前は、新聞や雑誌を持ち歩いている人もいましたが、いまや通勤電車内で折りたたんだ新聞を持つ人は見かけなくなりました。最大の影響力を持つテレビは持ち歩くことが難しく、ワンセグは一時携帯電話に搭載されたものの、スマートフォンに変わっていく中で使われなくなっています。移動中にも手軽にニュースに接触できるようになったメディア環境の影響が、場所別に分けてみることで、はっきりと分かります。

■ すきまに断片的に触れている

調査では、どのようなシーンでニュースに接触したかも聞いています。

バスの待ち時間、電車内などのすきま時間にニュースに接触している状況があることが分かりました。調査データを見ると、自宅だからテレビを見ながら団らんというわけではありません。朝起きた直後、寝る前、お風呂、食事の待ち時間などのちょっとしたすきま時間にもスマートフォンからの接触がみられます。このようなすきま時間にさまざまな情報に断片的に接触するというのが、スマートフォン時代のメディア環境の特徴です。

職場や大学にはテレビは設置されておらず、新聞を持ち運ぶ人も少なくなりました。マスメディアの接触は自宅に限られてしまうことになり、紙やテレビ受像機という媒体にこだわっていると影響力が限定的にならざるを得ません。

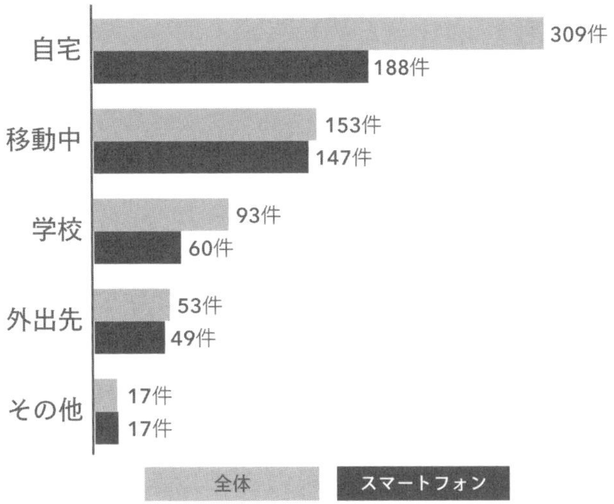

図表4-3　学生がニュースに接触している場所
出所：藤代裕之

4-4 マスメディア時間の喪失

次は、場所ではなく時間帯で見ると、どのような傾向を指摘できるでしょうか。今回の調査では、ニュースを見たその場で報告をしてもらうことになっていたので、メッセンジャーに報告が送られてきた時刻を確認すると、そのニュース接触が生じたおおよその時間帯が分かります(ニュースを見た後に報告を書いて送るまでの時間があるので、あくまで「おおよそ」です)。事後報告で時間帯が不明だったものなどを除いた上で、テレビ、新聞、スマートフォン、すべてのケースの時間帯をまとめると**図表4-4**のようになります。

■ 明確な「ニュースの時間」は存在しない

ニュース接触が生じた時間は、15時～18時が一つのピークになってはいますが、全体として見ると、突出した時間帯はありません。これは「いつでも」ニュースに触れられるスマートフォンでのニュース接触が中心になっていることを考えれば当然と言えるかもしれません。テレビを中心としたニュース接触は、朝・夜のニュース番組の時間帯に集中にしたはずです。

新聞のテレビ番組欄を確認してみると分かりますが、ニュース番組は朝と夜の時間帯に集中しています。昼間は情報番組などが放送されています。新聞は朝刊や夕刊という時間に合わせて配られます。しかし、スマートフォン中心の生活では、そうした明確な「ニュースの時間」は存在しないのです。テレビ研究ではよく、テレビが日常生活のリズムをつくり出していたことが指摘されますが、スマートフォン中心の生活では、そうしたメディアのつくり出す時間的なリズムはだいぶ弱まっています。

	6-9時	9-12時	12-15時	15-18時	18-21時	21-24時	0-3時	3-6時	不明
全体（625件）	**10.2**	**17.8**	**17.1**	**20.6**	**10.7**	**18.7**	**3.4**	**1.1**	**0.3**
男性（377件）	7.2	17.0	18.6	26.0	10.1	17.5	3.2	0.5	0.0
女性（248件）	14.9	19.0	14.9	12.5	11.7	20.6	3.6	2.0	0.8

単位は%

図表4-4　ニュースに接触したおおよその時間帯

出所：土橋臣吾

このメディアがつくる時間・リズムの喪失が、課題になってきているのです。この点については、8-4でもう一度取り上げたいと思います。

4-5 トランプ大統領来日に見る接触経路

ここからは、いくつかの具体的なニュースを取り上げながら、今回の調査協力者のニュース接触の特徴を確認していきましょう。若者に対して、「テレビや新聞を見ないからネットのフェイクニュースを信じている」「若者は自分に興味があるものしか見なくなり社会への関心が低下している」と指摘されることがありますが、本当でしょうか。第２章においても、ニュースは「政治・経済・社会」に関するもの以外にも広がっていました。

ニュースの入り口はYahoo!ニュースとTwitterで、そこから接触するニュースの制作者はロングテール化していることはすでに説明しました。また、スマートフォンに配信されている情報は、利用者データを分析するアルゴリズムにより、それぞれに最適な情報を届けられています。「フィルターバブル」(＝アルゴリズムにより自分が気に入った情報に囲まれる)が起きている可能性もありそうです。

そこで、学生が新聞の1面や報道番組が取り上げるような社会的なニュースに触れているのかを実際に確認したところ、意外な結果となりました。

調査時期に起きた大きなニュースには、米国トランプ大統領の初来日、ソーシャルメディアで若い自殺志願者などを誘い殺害した座間連続殺人事件、倒産した格安旅行会社・てるみクラブなどがあります。

そのうち、トランプ来日に関するニュースには、34人中19人と半分を超える学生が触れていました。トランプ大統領は2017年11月5日から7日まで日本に滞在し、その後、韓国を訪れました。6日と7日について、トランプ来日のニュースを見た学生のニュース接触を**図表4-5**にまとめました。図表の番号は学生に割り当てたもので、5人（6,7,10,11,12の5人）は、複数回トランプ来日のニュースに接触しています。

スマートフォン経由では、Yahoo!ニュースやTwitterから新聞社や通信社のニュースを見るだけでなく、ハフィントン・ポストのようなネット専業のニュースサイトやニューズウィーク日本版にも触れています。また、新聞、テレビを経由してもニュースに接触しています。このように学生は、それなりに「政治・経済・社会」に関するニュースに接触していたのです。

次に、座間連続殺人事件のニュースに接触した学生は10人で、すべてスマートフォン経由となっており、テレビと新聞からは接触していません。座間連続殺人事件については、ニュースを複数回見た学生は3人で、そのうちの1人は連日のようにYahoo!ニュースなどから接触し、7回見ています。

次いで、倒産した格安旅行会社・てるみクラブのニュースが6人で、これもすべてスマートフォン経由となっています。

学生の感想コメントを確認すると、トランプ来日については「こまめに報道しすぎな気がした」「またトランプの話かー」「トランプさん影響力やっぱりある」、座間連続殺人事件については「近所だから他人事じゃないんで」「実際に顔写真とか性格とかが報道されると、より痛々しい事件に感じた」と、身近に感じている様子がうかがえます。

制作者が新聞社やテレビ局のニュースでも、テレビや新聞からやってくる世の中の出来事としてのニュースと、スマートフォンで触れる自分に近いニュースといった具合に、入り口で違いがあるのです。

番号	日	場所	媒体	入り口	制作者
1	11月6日	自宅	テレビ		NHK
2	11月6日	自宅	テレビ		TBS（ひるおび！）
3	11月6日	選択	スマホ		暇つぶしニュース
4	11月6日	自宅	新聞		読売新聞
5	11月6日	移動中	スマホ	Yahoo! ニュース	時事通信
6	11月6日	移動中	スマホ	Yahoo! ニュース	毎日新聞
7	11月6日	自宅	テレビ		NHK
8	11月6日	自宅	スマホ	Yahoo! ニュース	読売オンライン
9	11月6日	その他	スマホ	LINE NEWS	共同通信
10	11月6日	自宅	テレビ		日本テレビ（スッキリ）
11	11月6日	自宅	スマホ	LINE NEWS	時事通信
12	11月6日	学校	スマホ	Twitter	AFP
6	11月7日	自宅	スマホ	Yahoo! ニュース	日テレ NEWS24
13	11月7日	移動中	スマホ	Twitter	ハフィントン・ポスト
14	11月7日	自宅	スマホ	Feedly	朝日新聞デジタル
7	11月7日	学校	新聞		朝日新聞
10	11月7日	自宅	テレビ		日本テレビ（スッキリ）
11	11月7日	移動中	スマホ	Twitter	Yahoo! ニュース（制作者不明）
12	11月7日	移動中	スマホ	Yahoo! ニュース	ニューズウィーク日本版
12	11月7日	自宅	スマホ	Yahoo! ニュース	時事通信

図表4-5　11月6日と7日のトランプ大統領来日に関するニュース接触
出所：藤代裕之

■ 浮かび上がる大学生の苦しさ

次に話題レベルではなく記事のレベルで見ると、最も多くの学生が見ていた同一記事は、11月8日に公開された朝日新聞系のニュースサイトwithnews（ウィズニュース）の「月17万円でも苦しい…『理想の貧困』

タイトル
トランプ氏に投票の 91 パーセント“ 現在も支持 ”
トランプ氏　北朝鮮に警告
【悲報】安倍総理、ゴルフ場ですっ転ぶ
トランプ氏日米の絆強調
曽我さん、早紀江さんと面会＝拉致問題解決へ日本と連携ートランプ米大統領
トランプ氏「車、輸出するより米国内で生産を」
トランプ氏に投票の 91% 現在も支持
トランプ氏「車、輸出するより米国内で生産を」
日米、北朝鮮へ圧力最大限 トランプ氏、武器購入など要求
安倍×トランプ " ゴルフ外交 ”
「シンゾー・ドナルド」蜜月演出ゴルフ外交で日米同盟強化狙う
メラニア米大統領夫人、昭恵夫人と習字で「平均」都内小学校訪問
米韓晩餐会に“ 竹島のエビ ”菅長官が不快感
コイにバッサーと餌をやったのは、トランプ大統領より安倍首相が先だった（動画）
トランプ氏歓迎の夕食会、元慰安婦招待「独島エビ」も
トランプ氏「安倍首相が機上の人で断れなかった」
首脳会談は北朝鮮問題に重点　トランプ大統領３つの思想
トランプ氏餌やり　首相のまね
中国はトランプ訪日をどう見ているか
トランプ氏夕食会に元慰安婦＝歴史問題にクローズアップ　韓国

の誤解、家計簿でくつがえす」というタイトルで、4人の学生が見ていました。記事は、貧困をイメージで考えるのではなく、家計簿をつけるグループワークを実施することで理解してもらう活動をしている人に話を聞いたものです。学生の置かれている状況を考えれば、この記事が最も読まれるのは理解できるのではないでしょうか。

「パラダイス」や「レジャーランド」などと揶揄された大学は過去のものとなりつつあります。文部科学省の方針で授業には出席が求められるようになり、入学金や授業料などの費用は上昇し続けていますが、家庭からの仕送りはバブル期に比べて半減、奨学金を借りる割合も高く、アルバイトに追われている学生も多くいます。働き始めてもブラック企業で体や心を壊してしまうかもしれないと心配しているのです。ニュースの接触は調査対象の置かれた状況も浮かび上がらせます。

4-6 テレビのザッピングのように流し見する

協力してくれた学生のうち、最も少ないニュース接触は5件（2人）、最も多かったのは74件でした。この74件の学生の行動の一部を**図表4-6**にまとめました。ここからは、テレビのチャンネルを次々と変えるザッピングに近い接触のあり方が見えてきました。

ニュースはバラバラの時間にみるのではなく集中的に見ています。**図表4-6**は11月7日の一部ですが、同日に見たニュースは16件で、16時台に2件、22時34分から23時4分までの間に14件見ています。短時間で多数のサイトに接触しているのが特徴的です。

この学生は、はてなブックマーク、NewsPicks、feedly、といったキュレーションツールを使いこなしています。はてなブックマークは、ユーザーが多くブックマークしたものが表示され、話題になっているサイトを見つけることができるサービス。NewsPicksはサイトに対するビジネスパーソンのコメントで人気のサービスです。feedlyはRSSリーダーと呼ばれるもので、登録したサイトを閲覧することができるものです。これらソーシャルメディアの情報をまとめるツールは、ミドルメディアと呼ばれるものです。この学生は、多数のニュース制作者に触れていますが、関連したニュースへの接触はあまりみられません。

ここまで見たように、学生のニュース接触には、何か一定のルールのようなものがあるわけではありません。さまざまであり、非常に複雑な接触ルートがあることが分かります。そして、トランプ大統領の初来日のように社会的なニュースにもそれなりに触れながら、身近で狭い関心とザッピングという両極端な接触のスタイルがありました。

時間	媒体	入り口	制作者	タイトル
22:13	スマホ	はてな ブックマーク	NHK	たばこ税３年かけ１本３円増税で調整へ
22:19	スマホ	はてな ブックマーク	朝日新聞 デジタル	教科書の文章、理解できる？ 中高生の読解力がピンチ
22:24	スマホ	はてな ブックマーク	NIKKEI STYLE	「炭水化物が毎食7割超え」は注意 死亡リスク上昇
22:27	スマホ	はてな ブックマーク	経済学101	フェイクニュースとファクトチェック： 事実を正せば意見も正せるか
22:32	スマホ	はてな ブックマーク	YOMIURI ONLINE	小５が発見「ピンクのキリギリス」 …突然変異か
22:34	スマホ	NewsPicks	ITmedia ビジネス オンライン	結婚相手に求める条件、 男女で大きな差が出たのは？
22:46	スマホ	NewsPicks	ダイヤモンド・ オンライン	「睡眠は 90 分サイクル」は誤り、 眠りの科学は俗説だらけ
22:49	スマホ	NewsPicks	ダイヤモンド・ オンライン	コメダが FC 店の「裏メニュー」を 完全排除しない理由
22:54	スマホ	Yahoo! ニュース	小田原箱根 経済新聞	箱根ターンパイクで「初日の出」と 「赤富士」プレミアム入場パス今年も / 神奈川
22:56	スマホ	Yahoo! ニュース	J-CAST ニュース	「座間事件」も容疑者はアニメ、ゲームの 影響を受けた？発言の山本議員に 「現実と妄想の区別がないのはオマエ！」の声
22:59	スマホ	Yahoo! ニュース	朝日新聞 デジタル	ヤマト、２年７カ月ぶり宅配便減少 10 月
23:00	スマホ	Yahoo! ニュース	時事通信	企業の６割、解禁守らず＝ 大学生ら採用、人手不足で
23:02	スマホ	Feedly	朝日新聞 デジタル	トランプ氏歓迎の夕食会、 元慰安婦招待「独島エビ」も
23:04	スマホ	Feedly	NME JAPAN	リアム・ギャラガー、オアシス解散の夜について 「そんなにひどい口論じゃなかった」と語る

図表4-6　最も多くニュースに接触していた学生の様子
出所：藤代裕之

3-6では「普段関心のないことでも、こんなこともあるのかと気付く」メディアとして、20代以下ではソーシャルメディアがテレビと同じ位置付けになっていました。ここで紹介した結果は、その裏付けとなっていると言えるでしょう。

4-7 1分で処理されるスマートフォンからのニュース

次に、4-4で触れた、いつでも・どこでも使えるスマートフォンで、すきま時間にニュースを見るという情報接触スタイルは、具体的にどのようなものなのか紹介します。今回の調査では、報告のたびに、その時のニュース接触にどのくらいの時間をかけたかを報告してもらいました。その結果を見ると、具体的なイメージが見えてきます。正確な時間を測

スマホからのニュースは2分未満

		1分未満	1~2分未満	2~5分未満	5~10分未満	10分以上	無回答
マスメディア（146件）	テレビ（90件）	3.3	4.4	13.3	15.6	40.0	23.3
	新聞（56件）	7.1	7.1	48.2	8.9	17.9	10.7
スマートフォン（463件）	Yahoo! ニュース（163件）	17.2	28.8	35.6	5.5	0.6	12.3
	Twitter（125件）※	8.8	25.6	25.6	2.4	16.0	21.6
	LINE NEWS（47件）	6.4	27.7	38.3	2.1	0.0	25.5
	それ以外のミドルメディア等（83件）	6.0	34.9	49.4	6.0	2.4	1.2
	その他（45件）（記事に直接、動画サイト、掲示板等）	0.0	13.3	26.7	20.0	28.9	11.1
その他（16件）（メディア併用、PC、サイネージ等）		18.8	18.8	6.3	0.0	56.3	0.0
総計		9.1	22.1	32.2	7.4	14.6	14.7

単位は%。ツイッター経由の接触のすべて（16件）を「10分以上」とした回答者1人を含む

図表4-7　ニュースに接触した時間

出所：土橋臣吾

定しているわけではなく、あくまで「体感」の時間の報告ですが、その顕著な特徴は、スマートフォンでニュースを見るときの、その接触時間の「短さ」です。テレビや新聞のニュース接触も含めて、機器別、接触チャネル別にまとめると**図表4-7**になります。

一見して分かるように、テレビでは「10分以上」が40.0%と最も多くなっているのに対して、スマートフォンでは、基本的にどのニュースアプリで見るか、どのソーシャルメディア経由で見るかにかかわらず、「10分以上」かけてニュースを見ているケースがまれであることが分かります（Twitterは「10分以上」が16.0%となっていますが、これは、Twitter経由のニュース接触のすべてを「10分以上」とした回答者の影響です）。

逆に、目立つのは非常に短い時間でなされるニュース接触の多さで、LINE NEWSやTwitter経由のニュース接触では、「1分未満」と「1-2分未満」の合計が3割以上（LINE NEWS 34.1%、Twitter 34.4%）となっています。また、さらに短時間接触の傾向が強いYahoo!ニュースに至っては、「1分未満」が17.2%、「1-2分未満」が28.8%と、半数（合計で46.0%）に近いニュース接触が、2分に満たない短時間で処理されています。これに対して、同じスマートフォンでも、記事への直接アクセス、動画サイト、掲示板などを含む「その他」は、「10分以上」が28.9%と相対的に長時間接触の割合が高く、むしろこうした雑多な接触チャネルのほうが、Yahoo!ニュース、Twitter、LINE NEWSという主要なチャネルよりも、ニュースへの深い関与が起きる場になっていると言えそうです。

こうした短時間でニュースを処理する傾向は、場所によっても明確な違いがあります（**図表4-8**）。予想通りだとは思いますが、やはり移動中に見られるニュースが最も短時間接触になる傾向があり、実に48.4%

移動中は2分未満、家は10分以上

	1分 未満	1~2分 未満	2~5分 未満	5~10分 未満	10分 以上	無回答
自宅（309件）	7.4	16.8	27.2	7.4	24.6	16.5
移動中（153件）	17.0	31.4	32.7	5.9	3.3	9.8
学校（93件）	6.5	22.6	46.2	10.8	5.4	8.6
外出先（53件）	3.8	24.5	39.6	3.8	7.5	20.8
無回答（17件）	0.0	23.5	17.6	11.8	5.9	41.2
総計	9.1	22.1	32.2	7.4	14.6	14.7

単位は%

図表4-8　ニュースに接した場所別ニュース接触時間
出所：土橋臣吾

(「1分未満」17.0%と「1-2分未満」31.4%の合計）と半分近くのケースが2分未満でのニュース接触となっています（他の場所では、3割以下です)。

「10分以上」が目立って多いのは、やはり自宅で、これはテレビでニュースを見るケースのほとんどが自宅であることの影響です。

4-8 偶発的に出会い、一瞬で意識が他へ

では、なぜスマートフォンのニュースはかくも短時間で処理されるものになっているのでしょうか。大きな理由としては、まず、そもそもすきま時間なので最初から長時間見るような状況ではない、あるいは、番組などのパッケージがなく、一つひとつの記事に細分化されているので必然的に短くなる、といったところでしょう。

これらに加えてここで改めて確認しておきたいのは、スマートフォンのニュースは、意図して見ようとするのではなく、偶発的に見られているケースがかなり多いという点です。今回の調査では、報告のたびに、その時のニュース経験に関する簡単な説明や感想を書いてもらっています。例えば、次のようなケースがその典型的なパターンです。

- **英語の課題をやろうとYahoo!を開いたら**同じニュースがあったので見た。体感時間は2分くらい。Yahoo!のトップニュースに載っていることはみんな気になってるのかなと思った。
- **友達からのLINEを確認しようとして、LINEを開いたら、**LINE NEWSが来ていて気になった。ほんとに72時間TVのネタが多いなと思った（体感時間は1分）。
- **Twitterを開くとタイムライン上に流れて来たため目に入った。**また、先日にも同じニュースを見てどうして起こったのか気になった。記事を読むとこの職員さんに同情したくなる。

■ たまたま目についたニュースを拾っている

ひと言で言えば、スマートフォン内の動線の上で、すなわち、「LINE

やTwitterをチェックしようかな」とか、「必要な情報を検索しようかな」といった別の利用の流れの中で、たまたま目についたニュースを拾っているのが、こうしたケースです。後述するように、こうした「たまたま見てしまった」という形でのニュース接触は、テレビでも頻繁に起きています。しかし、テレビはそれでも結果的にある程度の時間をかけてニュースに触れることになるのに対し、スマートフォンのニュースでは、偶発的に出会い、一瞬で意識が他へ向かう形が常態になっている可能性があります。

同じく何人かの学生に、自分のニュース経験の典型的なパターンをカスタマー・ジャーニー・マップの形式で再現してもらったところ、**図表**

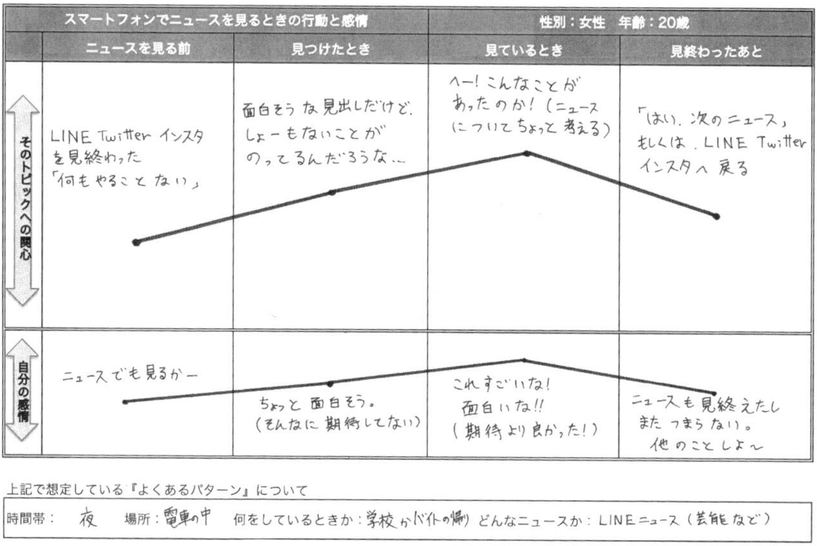

注）本資料は、個人情報を削除し、一部表現を修正した上で、記入者本人の手書きを再現したものです

図表4-9　学生が描いたニュース経験のカスタマー・ジャーニー・マップ
出所：土橋臣吾

4-9のようなパターンが多く出てきました。カスタマー・ジャーニー・マップとは、対象ユーザーの調査から行動を時系列に並べ、時間変化によって機器やサービスとの接触点の変化を可視化、表現することで、分析を助ける手法です。

ニュースに触れる前後の状況に注目してください。ソーシャルメディアを一通り見て「何もすることがない」状態になったため、何となく見出しに釣られてニュースへ意識が向き、しかし、そのニュースを見終わると一瞬でそこから意識が離れていく、といった様子がよく現れています。こうしたパターンは他の学生にもみられましたが、こうしたユーザー行動を見る限り、ユーザーの動線上にうまくコンテンツを配置し、気を引くタイトルでアクセスを稼いだとしても、それだけでは、極めて薄い・浅い体験しか提供できていない可能性が高いというべきでしょう。これは、ニュースに限らず、今日のメディア環境におけるコンテンツ流通の重要な課題で、ソーシャルメディア＋スマートフォンという極めて流動性の高いプラットフォーム上でこの問題を解決するのは容易ではありません。

4-9 断片的なニュース体験が生む感想

期間中に最もニュースへの接触が少なかった2人の学生（学生①、学生②とします）について、その気持ちや感想をメモとともに見てみましょう（**図表4-10、図表4-11**）。

ニュースに触れる前後の浅い・薄い体験に加え、ニュースへの接触そのものも断片的なニュースへの体験になっていることが分かるでしょう。双方の学生ともスマートフォンによる接触が中心で、時間帯は朝と夜が多くなっています。何より、身近で狭い関心の中でニュースを見ているのが特徴です。

学生①は、LINE NEWSとTwitterからニュースに接触しています。Twitterは、ファッション系のアカウントからファッション系サイトのニュースに接触しています。紳士服のAOKIに関するニュースは、法政大学のアメリカンフットボール部が着用するというもので、このニュースについて「火付け役に法政大学のアメフト部が選ばれたのは素晴らしいと思った」と学生はコメントしています。スポーツに普段から興味があるのかもしれません。

学生②は、Yahoo!ニュースから新聞社系のニュースに接触しています。神奈川新聞では、スキャンダルで話題となっていた山尾志桜里議員の記事に接触しています。サンスポでは野球、スポーツ報知ではサッカーの記事に接触しています。分野は政治、スポーツです。山尾議員のニュースを見ており、政治に関心があるのかと思いきや、学生は「なかなか神経図太いやつだなと思った」「改憲阻止の前に、不倫とガソリンプリカの問題の説明が先だろ」とコメントしています。テレビのニュース番組

日	時間	場所	媒体	入り口	制作者
11月6日	8:12	自宅	スマホ	LINE NEWS	時事通信
11月7日	9:14		スマホ	Twitter	Fashionsnap.com
11月7日	23:50	自宅	テレビ		フジテレビ（THE NEWS α）
11月9日	9:20		スマホ	Twitter	Fashionsnap.com
11月12日	17:06		スマホ	LINE NEWS	ガジェット通信

図表4-10　ニュース接触が少ない学生①の様子
出所：藤代裕之

日	時間	場所	媒体	入り口	制作者
11月7日	10:36	自宅	スマホ	Yahoo!ニュース	神奈川新聞
11月7日	20:31	自宅	スマホ	サンスポ	サンスポ
11月8日	7:14	移動中	スマホ	Yahoo!ニュース	朝日新聞デジタル
11月9日	7:10	移動中	スマホ	Yahoo!ニュース	スポーツ報知
11月9日	9:08	移動中	スマホ	Yahoo!ニュース	神奈川新聞

図表4-11　ニュース接触が少ない学生②の様子
出所：藤代裕之

にツッコミを入れている人のような感じでしょうか。

このように、一人ひとりのニュースへの接触を調べる質的調査では、データでは見えない姿が浮き彫りになってきます。たまたま国際政治の

タイトル	感想
「シンゾー・ドナルド」蜜月演出＝ゴルフ外交、日米同盟強化狙う	ゴルフはやったことないけど、安倍さんよりトランプの方が全然上手そうに見えた。
「M・A・C×プーマ」異業種コラボが発表	2018年にコラボスニーカーが発売されるらしい、どちらも好きなブランドなので楽しみ。
オフィスチェア「ing(イング)」を紹介したもの	多くの人が1日5時間以上のデスクワークをしているらしく、肩や腰への負担を軽減するために立ちデスクまで行われているのには驚いた。
「AOKI」学生スポーツ向けスーツユニフォームを販売	高機能なチームスポーツ向けスーツユニフォームの火付け役に法政大学のアメフト部が選ばれたのは素晴らしいとおもった。
警視庁警備部災害対策課の「豆知識ツイート」が人気	暮らしの中で役立つ情報をツイートしており、それが人気だそうです。早速アカウントをフォローしました。警視庁がこのようにツイッターでつぶやいていることは知らなかったのでハマりそうです。

タイトル	感想
山尾氏 顧問に弁護士倉持氏	なかなか神経図太いやつだなと思った。
日本ハム・大谷、大リーグ挑戦表明「このタイミングで決めた」代理人はバレロ氏	メジャーいきたいから今年は無理せず手抜きしたということかと思った。
たばこ税、1本3円の増税で調整 自民税調では慎重論	いい動き、タバコはどんどん増税してほしい。
香川、招集外のブラジル戦に来る！代表落ち理由めぐりハリル監督と会談も	外すならもっと早く外すべきでしょ。
山尾氏が語る（下）改憲議論に先手打つ	改憲阻止の前に、不倫とガソリンプリカの問題の説明が先だろ。

ニュースを見たり、好きなブランドのニュースを楽しんだり、ツッコミを入れたりしているのです。

4-10 ニュースは、たまたま、流れる

次に、気持ちと感想コメントの分析をしてみましょう。今回、調査協力者の学生にお願いしたのは、その時の状況やニュースそのものに関するコメントなどを「1ツイート」くらいのイメージで自由に書いてもらうことでした。そのようにして集めた625件をテキストマイニングにかけた結果が**図表4-12**です。

この図は「共起ネットワーク」と呼ばれるもので、一緒に使われることが多かった言葉の組み合わせがネットワーク図の形で示されています。また、円の大きさがその言葉の出現回数の多さを、円を結ぶ線が、それぞれの言葉の共起関係を示しています。

ではこの共起ネットワーク図から何が見えてくるでしょうか。残念ながらニュースの内容に関することはあまり見えてきません。見ているニュースはさまざまなので、それぞれのニュースに関する個々の感想の中で使われる言葉は、625件全体で見たときには「頻出語」にならないからです。

しかし、ニュースを見ているときの状況、あるいはニュースの接触チャネルについては興味深いことが分かります。**図表4-12**を細かく見ていくと、右下には「テレビ」、上部には「ツイッター」(Twitter)、そのやや左下には「ヤフー」(Yahoo!ニュース)という言葉が見つかりますが、それぞれ微妙に異なる言葉が共起しています。

順に見ていくと、まず、「テレビ」が、「たまたま」という語と結びついていることから、テレビニュースもまた、意図してみるものではなくなっている様子が分かります。例えば、家族が見ているテレビのニュー

スを「たまたま自分も見た」、朝起きたらテレビがついていて「たまたま見た」といったケースです。また、この「たまたま」という言葉は「ラインニュース」(LINE NEWS) とも結びついており、「テレビ」も「ライン」(LINE) もその接触機会の多さ故に、そこで偶発的にニュースに出くわすことの多いメディアになっていることがうかがえます。また、テレビは、唯一、「安倍-トランプ-大統領」といったニュースのキーワードが共起語に現れるメディアになっており、やはり、大きなトピックを共通体験化するのは今もテレビだと言えそうです。

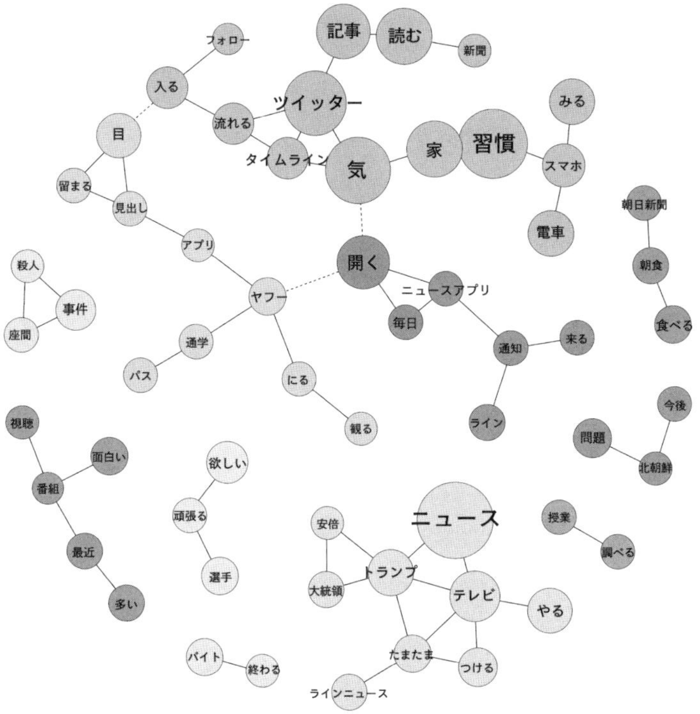

図表4-12　日記式調査の自由記述コメントのテキストマイニング結果

出所：土橋臣吾

次に「ツイッター」（Twitter）の共起語を見てみましょう。「タイムライン」「流れる」「気」（「気になる」「気になった」といったフレーズの「気」が抽出されています）といった語が現れています。もちろん、Twitterにおいても、「テレビ」や「LINE」の「たまたま」と同様の偶発的なニュース接触が起きていることは間違いありません。というより、最初からニュースだけを求めてタイムラインをチェックする人もあまりいないと思いますので、そのほとんどが偶発的な接触というべきかもしれません。

しかし、第２章で見た「タイムラインが自分にとっての世間」といった状況を踏まえて共起語を見直すと、Twitterでの偶発的なニュース接触は、「テレビ」や「LINE」の「たまたま」とは微妙に性質が異なるものになっている可能性を指摘できます。つまり、「テレビ」や「LINE」の「たまたま」が純粋な「たまたま」なのに対し、Twitterの場合は、「タイムライン」に「流れる」「気になる」情報をそこで拾うことそのものが「習慣」になっている人も多い、というわけです。ニュースや趣味の情報から友達の近況までが一体となった「世間」がそこにあり、ニュースだけを求めているわけではないけれども、“what’s new?”という感覚で「タイムライン」をチェックする。Twitterがこうした位置付けを獲得しているとすれば、その「メディア」としての強さには改めて注目しておくべきでしょう。

最後に、「ヤフー」（Yahoo!ニュース）の周辺に目をやると、ここでは「アプリ」「開く」といった言葉が共起しており、「LINE」の「たまたま」や、「Twitter」の「流れる」のどちらとも性質の異なる情報行動が起きていると言えそうです。これはある意味当然で、Yahoo!ニュースの場合は、ブラウザその他でのリンクで見ることも多いはずですが、各種の「ニュースアプリ」はそのために「開く」ことがニュース接触の起点になるので、LINE NEWSやTwitterでの偶発的な接触とは異なる行動になるというわけです。

4-11 接触チャネルとニュースジャンルの違い

最後に、それぞれのニュースチャネルでどのようなジャンルのニュースが見られているのか、言い換えるなら、チャネルによって接触するニュースのジャンルにどのような違いがあるのかを見ておきましょう。

図表4-13は、報告されたニュースのすべてについて、それが「政治・経済・社会」「芸能・スポーツ」「その他」のどれにあたるかを確認の上、振り分けし、接触チャネル別にそれぞれのジャンルの割合をまとめたものです。

		政治・経済・社会	芸能・スポーツ	その他
マスメディア（146件）	テレビ（90件）	75.6	14.4	10.0
	新聞（56件）	91.1	1.8	7.1
スマートフォン（463件）	Yahoo!ニュース（163件）	58.9	30.1	11.0
	Twitter（125件）	48.0	28.8	23.2
	LINE NEWS（47件）	57.4	27.7	14.9
	それ以外のミドルメディア等（83件）	49.4	27.7	22.9
	その他（45件）（記事に直接、動画サイト、掲示板等）	44.4	24.4	31.1
その他（16件）（メディア併用、PC、サイネージ等）		81.3	12.5	6.3
総計		60.2	23.7	16.2

単位は%

図表4-13　ニュースチャネルとニュースジャンルの関係
出所：土橋臣吾

■ テレビや新聞では「ニュースらしいニュース」に触れる

まず、明確な違いとして指摘できるのは、テレビ・新聞とそれ以外との違いです。テレビや新聞で見られているのは圧倒的に「政治・経済・社会」に関するニュース、つまりは「ニュースらしいニュース」で、テレビで見られているニュースの約８割（75.6%）、新聞では約９割（91.1%）が「政治・経済・社会」のニュースでした。

これに対し、スマートフォン経由のニュース接触では、「政治・経済・社会」に関するニュースの割合は明確に下がります。順に確認しておくと、Yahoo!ニュース、LINE NEWSでは６割弱（58.9%、57.4％)、Twitterでは５割を下回りました（48.0%）。

これはもちろん、スマートフォンのニュースであれば、記事ごとに「見る・見ない」を選択できるからでしょう。しばしば指摘される通り、ある意味で強制的にさまざまな情報を見させられるマスメディアに比べて、選択の自由度が高いネットの世界では、やはりソフトなニュースに偏る傾向があるようです。

このこと自体は、いわゆるフィルターバブルにも関わる問題としてよく知られたことですが、改めて注目しておきたいのは、スマートフォン経由の中でも、特にTwitterにおいて「政治・経済・社会」のニュースの割合が少なくなっている、という点です。Yahoo!ニュース、LINE NEWSも同じくスマートフォン経由ですが、ここで確認した通り、それらと比べても、Twitterでの「政治・経済・社会」のニュースの割合は、10ポイント近く低くなっているのです。

■ Twitterのタイムラインがフィルターバブルを促進？

今回の限られた調査だけでは確定的なことは言えませんが、ここで3章の議論を思い出してみましょう。つまり、Twitterユーザーが最も関心を持っている情報ジャンルが「個人的な趣味」だったこと（3-2）、また、InstagramやFacebookよりも、その利用動機として「個人的に知りたい情報が得られるから」が上位にきていたこと（3-4）などです。これらを踏まえれば、「フォローするアカウントの選択によって、タイムラインを自分にとって心地よい場に編集する」というTwitterの基本的な仕組み（あるいは使い方）が、ここでの結果、すなわち、Yahoo!ニュースやLINE NEWSに比べて、さらにソフトなニュースに傾くという結果に影響している可能性を指摘できるでしょう。

つまり、個人の趣味嗜好に基づいて自分の世界（＝タイムライン）をつくることのできるTwitterにおいては、LINE NEWSやYahoo!ニュースよりも、より高度に「個人的な趣味」「個人的に知りたい情報」に特化することが可能であり、それがフィルターバブル的な情報接触を促進している可能性がある、ということです。

4-12 まとめ：断片的な経験から興味をつなぐ

ソーシャルメディアでは、テレビのようなザッピングで次々と情報に接触しています。ただテレビと異なるのはタイムスパンの短さです。テレビは、「つける」という能動的な行為の先にあるザッピングなのである程度の時間をそこで消費します。一方のソーシャルメディアは、「すきま」「ながら」の短い時間で、一瞬で接触し、一瞬で離脱しています。タイムスパンはテレビに比べて非常に短いです。

ニュース接触時のカスタマー・ジャーニー・マップのパターンを見れば、「面白そうな見出しだがしょーもないことが載っているんだろうな」と、すでに懐疑的になっていることが分かります。そして見ているときには驚きがあり、ニュースについてちょっと考えていますが、すぐに次に移動しています。これは、バズらせてアクセスを増やし、テレビCMでアテンションを集め、リーチを稼いだとしても、それが期待したような体験の中で受け止められるかどうかは分からないことを示しています。

このような短いタイムスパンで繰り返す断片的な経験から、「ろくな情報に当たらない」という確率の低さを学習してしまっており、一過性の話題からニュースだけでなく話題や商品などに興味をつなげていく困難さが見えてきます。これをどのようにつなげていけばよいのでしょうか。

検索といっても、検索エンジンではなく、ソーシャルメディアのハッシュタグなどで探すことも明らかになっています。また、テレビ番組のようにTwitterで多く書き込まれている「トレンド」に現れることも分かっています。

図表4-14　ソーシャルメディアの反応を見て興味を持つ
出所：久保田麻美/野々山正章

学生に新しいテレビ番組や話題について興味を持った事例を聞くと、「ソーシャルメディアで探したときに好意的な意見があったことで関心が続いた」ということがありました。この事例が示唆しているのは、インフルエンサーを使って関心を集めることより、関心を持った瞬間にそれをつなげられる情報があることの重要性です。その瞬間に、ソーシャルメディアの話題がポジティブであればつながり、ネガティブに書かれていればチャンスを失ってしまうのです（図表4-14）。

第5章

メディア環境を再構築する人たちの登場

5-1 情報過多の中で「いい時間」をつくる

情報過多なのにスマートフォンを手放さず、仕組みを理解しながらもソーシャルメディアの断片的な情報に接触している。このようなアンビバレントな情報接触のスタイルの中で、博報堂ＤＹメディアパートナーズメディア環境研究所の「メディア定点」調査から生活者の新たな動きが見えてきました。それが、「生活者はメディア生活を再考≒自らメディア環境を創造しようとしている」という仮説です。ここでは、その仮説をベースに実施した定性調査について紹介します。

■ どうしようもないが、なんとかしようとしている

よく分からない情報接触スタイルをやみくもに調査しても捉えることはできません。第１章で紹介したように、メディア接触時間は増え続けており、それをけん引しているのはモバイル（携帯・スマートフォン）です。しかしながら「スマートフォンに対してポジティブに思っているのか？」というと微妙で、「利用する時間を減らしたい」と思っています。つまり、「時間は延びているのに、時間を減らしたいと思っている」。この矛盾に注目しました。

さらに、メディア意識全般を見ると、①「身の回りの情報は多すぎる」という意識が基本にあります。マスメディアへの接触時間が減ってソーシャルメディア経由のメディア接触が増えているのに、②「インターネットの情報はうのみにはできない」という思いがあり、さらに、「情報は無料なものだけで十分だ」という意識がこの3年で一番下がっている、つまり、③「インターネットの無料情報だけで十分とは思っていない」という結果が出ています（図表5-1）。

図表5-1　生活者のメディアへの意識
出所：久保田麻美/野々山正章

数量的にはスマートフォン／ソーシャルメディア経由の情報接触が増えているのに、ソーシャルメディアに対して懐疑的で「できれば回避したい」と思っている意識が高まっているのです。

これらから、豪雨のような情報は「どうしようもない」と受け入れながらも、生活者はそれをなんとかしようとしているのではないか、つまり「メディア生活再考≒メディア環境再設計への意思」があるのではないか、と洞察したのです。

■ 生活者をカメラで追いかける密着調査

博報堂ＤＹメディアパートナーズメディア環境研究所では、2009年から、生活者を起床から就寝まで、ずっとカメラで追い続ける「メディアライフ密着調査」を行っています。文字通り生活者の１日に密着して行動を観察し、必要に応じて行動の背景や理由をその場で適宜インタビューするという調査です。この調査で生活者の意思を明らかにしようと考えました。

調査対象は「これからのメディア生活の兆しを発見できる生活者」が望ましく、事前に20代から40代の男女に対してグループインタビューを実施し、その中から、実際にメディア生活を再考したり、再設計したりしていると感じられる調査対象者を３人選びました。

密着調査の結果をお伝えする前に、事前のグループインタビューの様子を説明します。先に結論を言えば、仮説として洞察した、「生活者はメディア生活を再考≒自らメディア環境を創造しようとしている」と感じられるような発言が多くありました。また、そうした発言の背景には、最近登場した新しいスマートフォンの機能が大きく影響していることが判明したのです。

5-2 スクリーンタイムで怖さを自覚する

その新しい機能とは、2018年9月にアップル社のiPhoneに搭載された「スクリーンタイム」です。「スクリーンタイム」とは、iPhoneなどでどのように時間を費やしているのかを確認できる機能です（**図表5-2**）。

トップ画面から［設定］－［スクリーンタイム］を開けば、自分が1日にどのぐらいの時間iPhoneを使用しているか、iPhoneで何を見ているか（ソーシャルメディアなのか、エンタテインメントなのか、など）、1日に何回iPhoneを立ち上げたか、1日に何回iPhoneに通知が来たか（こ

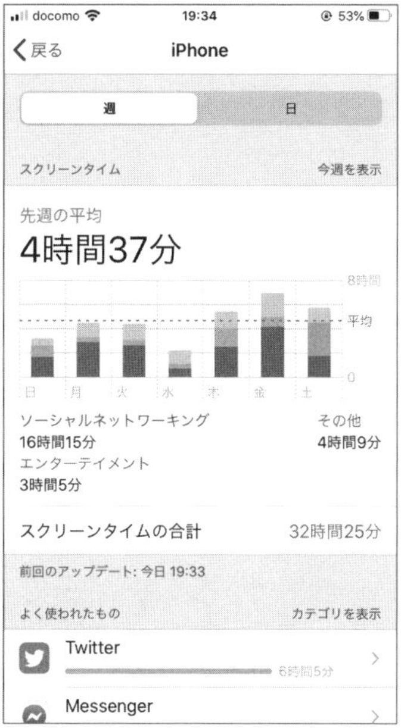

図表5-2　スクリーンタイム

出所：iPhoneのスクリーンショット

れは何を通知するか設定しているかによる）などを、随時一覧できるようになっています。そうした使用状況を1週間に1度メールで通知する機能もあります。

このスクリーンタイム機能は、「スマートフォンやソーシャルメディアに常時接触することにより、生活リズムが崩れ、集中力が低下してしまうという批判、うつや記憶力の低下がみられる」という研究が発表され、「子どもたちに悪い影響を及ぼしているのではないか」という声があったことから導入されました。

背景にあるのは、心身の健康に注意しながら、前向きにデジタルツールの利用方法を模索する動きです。こうした動きを「デジタルウェルビーイング」と呼びます。

■「でも時間さえあれば触りたい。何なんだろう。怖い」

事前のグループインタビューの対象者は「スクリーンタイム」について、口々に発言していました（注5-1）。

まずは、30代の子育て中の女性2人組の発言です。

「（スクリーンタイムの）週間レポートを見て反省する」
「携帯のスクリーンタイムも制限かけている。2時間たったら使えないようにするとか。でも、結局（我慢できなくて）自分で解除しちゃってる」
「ずうっと無意識に触ってるから自分でも怖い」
「携帯のせいで時間を有意義に使えていないのは自分が一番自覚してます」
「本当だったら好きなテレビ番組を見て過ごせるのを、ずっとソファに座ってネットサーフィンしていて、そこには何もないというか」

図表5-3　「分かっちゃいるけど、やめられない」
出所：久保田麻美/野々山正章

「でも時間さえあれば触りたい。何なんだろう。怖い。大人の依存症だと思う」

　これらの発言からは、「分かっちゃいるけど、やめられない」という状態が、スクリーンタイムの影響でかえって強くなっている様子がうかがえます（**図表5-3**）。

　続いて、20代男性ビジネスマンの発言です。

「本当に眠れなくなっちゃったんですよ。ずっと携帯を触っていて、寝れなくて、ようやく午前2時くらいに寝て、朝は7時前くらいに起きなくちゃいけなくて、火曜なのにもう疲れてたりして」

■ せっかくなら良い時間にしようという意思

スクリーンタイムによって、漠然とした認識だった自分のスマートフォンの利用の仕方が具体的に数字で可視化され、そのことをきっかけに、自分のメディア生活に対する「反省」「虚無」「恐れ」を述べる発言が多数ありました。こうした発言は、自分のメディア生活を自覚し、反省する意識、自分のメディアの使い方の再考につながるとも考えられます。

実際、事前グループインタビューの対象者の一部は、周りよりも少し意識的に自分のメディア生活を捉え、その行動を再考、再設計していると思われる言動をしていました。これらを踏まえた上で、1日中カメラで収録し、その都度インタビューする「メディアライフ密着調査」を行いました。

密着調査を分析した博報堂ＤＹメディアパートナーズメディア環境研究所では、「せっかくならその時間を良い時間にしよう」というメディア環境再設計への意思を、「メディア満足のつくり方」と名付けました。密着調査の対象になっていただいた方々のうち、2人の「メディア満足のつくり方」をケース①、ケース②として紹介します。

5-3 メディア満足のつくり方①リスクに保険

ケース①は、20代男子大学生Cさんです。Cさんの特徴は、コンテンツ（番組でも記事でも）を見る時間が無駄にならないように、特に初見のコンテンツの場合、必ず面白いと思われる、いわゆる“鉄板”コンテンツを保険として用意するというやり方でした。「初見コンテンツが面白くないかもしれない」というリスクを回避する行動と言えるでしょう（図表5-4）。

■ ダブルスクリーンで「最新」と「神回」を同時視聴

Cさんに密着調査したある日のことです。この日Cさんはバイトや授業などがあり、エンタテイメントコンテンツをじっくり楽しむ余暇時間

図表5-4　面白くないかもしれないリスクを回避する
出所：博報堂ＤＹメディアパートナーズメディア環境研究所(注5-2)の資料を基にしたイメージ写真

は朝食から勉強を始めるまでの午前10時から11時までの1時間しかなかったとのこと。だからこそ、「この1時間を集中して楽しまなくては」というのがコンテンツ接触前の彼の意識です。

Cさんは、タブレットとスマートフォンの2つのスクリーンを上下に並べ（＝ダブルスクリーン）、タブレットでは日頃見ているテレビのバラエティ番組の最新回を視聴し、同時にスマートフォンではYouTubeで別のバラエティ番組を視聴しています。スマートフォンで見ているのは、過去の“神回”（非常に面白く、全編にわたってつまらないところがない回）です。基本はタブレットで最新回を視聴しながら、つまらなくなってきたと思ったら、スマートフォンの過去の神回に視線を移し、そうして神回を見ながら、今度は最新回が面白そうになってきたかな（音などで判断する）と思ったら、タブレットに視線を移すという「バラエティ番組の重ね見」視聴を行っていました。

実はこの行為の前にも、タブレットではケーブルテレビの番組のオンエアを見ながら、手元のスマートフォンでradiko（ラジコ）を通じて、聞き逃したラジオの愛聴番組を部屋のスマートスピーカーで聞くという、ダブルメディア接触をしていたのです。2つの行動にまつわる彼の発言をいくつか紹介しましょう。

「ケーブルテレビの自然系ドキュメンタリーとお笑いのラジオだと同時に楽しめる。字幕を見るものと、耳に入ってくるものと両方」

（バラエティ番組の重ね見について）

「常にどちらかで面白い瞬間を見ていたい」

「とにかく途切れるのはいや。無音とか。この1時間はもう『見る！』って決めてるし」

「今日の娯楽の時間はこの時間だから、いかに詰め込めるか（が大事）」

「こうやって（腕を組んで）じっと見るのはもう無理」

Cさんの意識を言葉にすると、こうなるでしょうか。

「情報が多すぎて余暇時間も限られるので、それら一つひとつに集中して良し悪しを判断していたら時間が足りない。だから、なるべく多く同時にコンテンツに触れるしかない。しかし、そのコンテンツが必ず面白いとは限らず、特に初見の場合は面白くないというリスクが高い」

このような意識は、第４章で紹介した、大学生の断片的なニュース接触に近いものでしょう。4-8で紹介したカスタマー・ジャーニー・マップのパターンでは、見る前に「ハズレ」の可能性を考えながら、慎重に「面白いかもしれない」ニュースに接触していました。Cさんは、実際に触れて「ハズレ」だと残念なので、「神回」を保険として活用していました。確実に満足できること、かけた時間だけのフィードバックがあること、見たかい／やったかいがあること。こうした意識と価値観が、ダブルスクリーンで限られた時間を目いっぱい楽しむという行為を生んでいるのです。

■ ダブルスクリーンは2016年ごろに発見

実はこのダブルスクリーンという行為は、博報堂ＤＹメディアパートナーズメディア環境研究所にて（当時のメディアライフ密着調査を通じて）2016年ごろから、生活者のメディア視聴スタイルとして発見していましたが、そのころと今では状況が違います。4年前はまだスマートフォンが伸長期で、スクリーンタイムといった機能もスタートしておらず、さらに「情報が多すぎる」という意識もそれほど高くありませんでしたので、どちらかと言えば生活者は「どんどん情報が欲しい」「スマートフォンを含めてデバイスが増えたので、それぞれから取れるだけ情報を取りたい、コンテンツを楽しみたい」という意識が強かったのです。

それが証拠に2016年の調査における20代の男子大学生は、ダブルスクリーンならぬトリプルスクリーンで、手元スマホで友達とソーシャルメディアをしながら、顔の前のタブレットで定額制動画配信サービスの映画を見つつ、部屋の壁に置いてある大画面テレビでは24時間録画したテレビの中から好きなドラマを選んで再生する、という行動をしていました（**図表5-5**）。

■ 現在のダブルスクリーンとの決定的な違い

スクリーンを複数利用する点は2016年時点と同じですが、Cさんのダブルスクリーンと決定的に違う点は、視聴するコンテンツに対する意図の有無にあります。

2016年はコンテンツに対する思いが今ほど強くなく、「何となく、あるだけのコンテンツをたくさん身の回りに流しておくこと」自体が楽しいという意識が主流だったように感じます。どれがメインというわけではなく、すべてがサブといった状況で、それぞれのコンテンツをダラダラと浴びている状況でした。

それに対して、Cさんのダブルスクリーンは、メインで見るコンテンツとサブ（保険で見る）コンテンツがはっきりしています。結果として、「常に（生活者にとって）面白い状況」をつくり出すことに成功しています。ここ数年で進んだ情報過多が、生活者をして、大変器用な情報処理を可能にし、マルチスクリーン視聴の意味も大きく変えつつあることが分かります。情報過多時代だからこそ、それぐらいの工夫は苦でもない。

メディア満足を獲得するために、彼ら彼女らなりに一生懸命手立てを講じているのです。

図表5-5　トリプルスクリーンで、取れるだけ情報を取り、コンテンツを楽しみたい
出所：報堂ＤＹメディアパートナーズメディア環境研究所（注5-2）の資料を基にしたイメージ写真

5-4 メディア満足のつくり方②衝動と没入

ケース②は、女性会社員Kさんです。朝仕事に出かけて帰宅するまで、忙しい時間を過ごしている20代の女性です。夕食後は、Cさんと同様にテレビのニュース番組を見ながら、スマートフォンではインターネットテレビのドラマを同時に視聴していました。ドラマに飽きたら、LINE、Instagram、Twitterと、いくつものソーシャルメディアをチェックし、「常に面白い」状況を確保しようとしていました。

Kさんの発言を拾ってみます。

「テレビ見ながらスマホ見ている時間、動画見てLINE触ってという時間は身になっていない気はする。でも一方で、その時はやっぱり衝動的に動画が見たいなと思って見ているので、その時々は楽しんでいる」
「衝動的になれる時間って昼間働いて夜家事をする中で、意外とあの時間だけということもあるのであまりやめようとは思わない」

グループインタビューに登場した30代の子育て女性や20代のビジネスマンとは異なり、衝動的にソーシャルメディアに触れることは、「忙しい日々の中では、案外貴重な時間なので、無理にやめようとは思わない」と言います。働いている時間の繁忙さを考えると、「自由にスマートフォンをいじっていられる時間は、(何も残りはしないけれど) それはそれで大切なのではないか」という意識を持っていました。

さらにKさんが大切にしているのは、そうした衝動的な時間を持ちながら、それとは別に、「自分が主導権を持って、スマートフォンに振り回されずにじっくりコンテンツに向き合う時間を持つこと」だそうです。

具体的には、夜寝る前に雑誌や新聞を読むことだそうです（**図表5-6**）。

「スマホだと自分の興味あるものばかりを見てしまうという欠点がある。女性のファッション誌だと幅広く、自分が興味ない服装も載っている。逆にそういうのが『この色合いいいな』といった発見につながったりするので、スマホとは別のコンテンツとして好き」
「このファッション誌はＡ（ブランド名）特集なんだけど、自分は、Ａは好きではなく、でも意外とこれを見ていたらＡで欲しかった感じのスタイルがあるんだなと思ったりしたし、スマホだと絶対Ａって調べてないので」
「新聞も雑誌買うのも、無料のものよりも、情報がしっかりしていると思っていたりする」

衝動か没入か、どちらかだけを選ぶのでなく、生活のリズムや気分に合わせて、メディアがその気分を補ってくれるという状態が、彼女にとっ

図表5-6　夜寝る前に雑誌や新聞を読むことを大切にしている
出所：博報堂ＤＹメディアパートナーズメディア環境研究所(注5-2)の資料を基にしたイメージ写真

てのメディア満足と言えるでしょう。

「今、特にいろんなメディアが出てきて、その中で料理しているときは自分の時間だったり、衝動的に動きたい時間だったり、じっくり雑誌を読みたい時間だったり、それぞれ自分の気分に合わせてメディアがその気分を補ってくれるのが、一番幸福度が高くなるし、私の中では意義がある」

「没入」コンテンツは彼女の場合、雑誌でした。実はケース①の20代大学生Cさんも、昼間は「バラエティ番組の重ね見」といった、できるだけ効率的に情報量を詰め込むような生活を送っていますが、夜就寝する前には、スマートフォンを置いて、ラジオ受信機のスイッチを入れ、深夜の生放送を聞きながら、暗闇の中で「ラジオ局のある場所と自分が今つながっている感じ」を持ちながら眠りについています（**図表5-7**）。

スマートフォンからの大量のフロー情報に追いかけられ、それらを処理するのに精いっぱいの日常を過ごしているからこそ、こうした「没入」の時間を確保しようとする動きが、スマートフォンの高利用者ほど進みつつあると感じます。

暗闇ラジオ

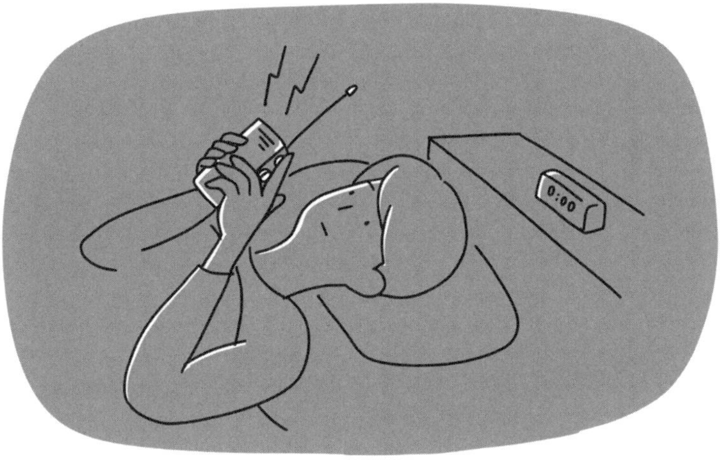

図表5-7　暗闇ラジオ

出所：博報堂ＤＹメディアパートナーズメディア環境研究所（注5-2）の資料を基にしたイラスト

5-5 スローとファストのメディア満足

ここで説明した生活者の密着動画を講演などで紹介した後に、私が必ず聴衆の方々にする質問があります。

「大学生のCさんは、『バラエティ番組の重ね見』と『暗闇ラジオ』のどちらのメディア満足度が高いと答えたと思いますか？」

「バラエティ番組の重ね見」とは、タブレットでバラエティ番組の最新回を流しつつ、スマートフォンでは別のバラエティ番組の「神回」「鉄板コンテンツ」を流し、その両方を同時に流して面白いほうを見るメディア接触スタイル。一方の「暗闇ラジオ」とは、就寝前にスマートフォンから離れて、ラジオ受信機のスイッチを入れてじっくり深夜の生放送を聞くメディア接触スタイルです。

皆さんはどちらの満足度が高いと思いますか？　これまで何十回と講演の場で聞いた聴衆の方々の意見は、ほぼ「『暗闇ラジオ』のほうがメディア満足度は高い」でした。しかし実際は、「『バラエティ番組の重ね見』のほうがメディア満足度は高い」とCさんは答えています。

“メディア満足”、“満足度”、というものさしで尋ねられた場合、Cさんが想起したのはいわゆる「コスパ（コストパフォーマンス）」と考えられます。どれだけ多くのコンテンツを短時間で一気に詰め込めるか（浴びることができるか）で判断したと思われます。実際、5-3で紹介した密着調査の日は、彼にとってバラエティを見る時間は午前中の1時間しかありませんでした。つまりこれは、「コスパ＝コストパフォーマンス」というよりも、正確に言えば「タイムパフォーマンス＝単位時間当たりの満足」と考えるべきでしょう。

では、「暗闇ラジオ」には満足していないのかと聞けば、「そんなことはない」と答えています。コスパ的には「バラエティ番組の重ね見」に劣るが、「ラジオ局のパーソナリティ」に対して非常に強いつながりを感じているというのです。

Ｃさんの言葉を書けばこうです。

「場所は離れているが、たったいま、パーソナリティやこの番組を聞いている他のリスナーの人たちと自分は、同じ時間を過ごしているんだなあとしみじみ思うんです」

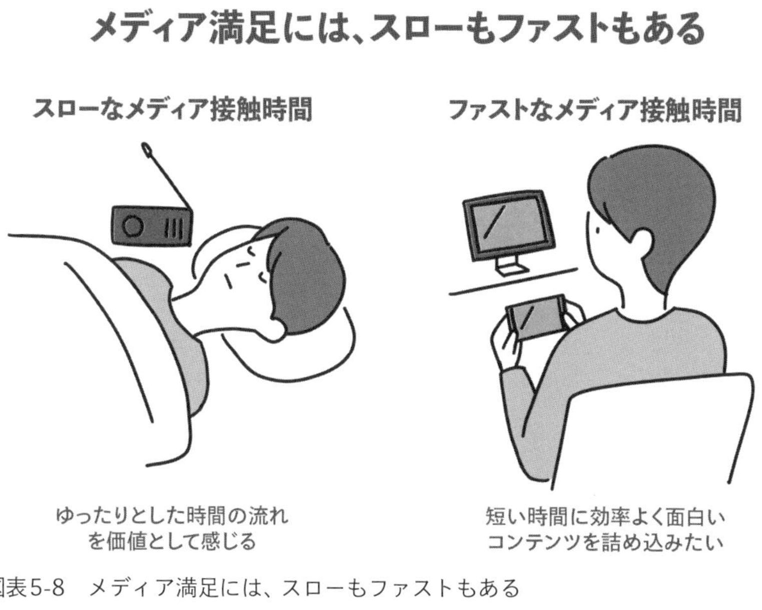

図表5-8　メディア満足には、スローもファストもある
出所：久保田麻美/野々山正章

「コスパ」的な効率性や機能性ではなく、もっと情緒的で、ゆったりとした時間の流れを価値として感じている、いわば「スローなメディア接触時間」です。その逆に「バラエティ番組の重ね見」は「ファストなメディア接触時間」を追及していると言えるでしょう。メディア満足には、スローもファストもあるのです（図表5-8）。

5-6 メディアの価値を理解し、使い分ける

ひと口に「メディア満足」と言っても、いろいろな種類の満足の感じ方があり、同じコンテンツでも受容するデバイスや接触する時間帯によって、その感じ方が違うのではと考え、次のような調査を実施しました。

具体的には、「あなたにとって○○コンテンツを□□（形態やデバイス）で見る時間は△△な時間である」という質問を提示し、○○や□□、△△部分を自由な言葉で埋めるという文章完成法という手法を採りました。このようにして、メディア満足の中身、そのメディアで過ごす時間、デバイスを利用する時間に対する価値について深く迫りました。

代表的な自由回答を示しましょう（**図表5-9**）。

このように見てみると、旧来の提供形態・デバイスでの接触時間が「いやし」「集中」「落ち着き」「至福」などプレミアムな価値を表す言葉が多く上がってきている一方、デジタル機器（特にスマートフォン）は、効率的で、単位時間当たりの価値に換算しやすい言葉が並ぶことが多くありました。

どれが一番強い価値、一番大きな満足ということではなく、価値が多様にあること、デバイスによって生活者が感じる価値が違うという点を認識することが重要です。つまり、生活者の日々の暮らしのさまざまなシーン、その時々の気分によって、それぞれのメディアの居場所、価値の発揮のしどころがあり、今の生活者は、その価値の発揮のしどころを自分のその時々の気分や状況に応じてうまく使い分けているのです。

若い人たちのデジタルデバイスの接触時間が長いからと言って、デジタルメディアを通じての情報発信だけすればいいということではありません。最初からデジタルメディアとマスメディアが同居する環境で育った人たちだからこそ、それぞれの良さを理解し、使い分けているのです。

■テレビコンテンツについて（30代専業主婦）

テレビコンテンツを、	
テレビ受信機で見る時間は、	「ひとときの**いやしの**」時間だ。
パソコンで見る時間は、	「何か作業をしながら**片手間に**見る」時間だ。
タブレットで見る時間は、	「**気楽に**見られる」時間だ。
スマートフォンで見る時間は、	「それでしか見られない時に使う**最終手段**」だ。

■ラジオコンテンツについて（30代男性社会人）

ラジオコンテンツを、	
ラジオ受信機で聴く時間は、	「**集中しながら**耳を澄ませる」時間だ。
パソコンで聴く時間は、	「**他の作業をしながら**楽しめる」時間だ。
スマートフォンで聴く時間は、	「**すきま時間に**耳をいやせる」時間だ。

■新聞コンテンツについて（40代男性会社員）

新聞コンテンツを、	
紙面で読む時間は、	「**落ち着いて**情報を集める」時間だ。
パソコンで読む時間は、	「**幅広く**記事を探す」時間だ。
タブレットで読む時間は、	「**じっくりと**記事を読む」時間だ。
スマートフォンで読む時間は、	「**最新の**情報をつかむ」時間だ。

■雑誌コンテンツについて（10代男子学生）

雑誌コンテンツを、	
紙面で読む時間は、	「**至福の**」時間だ。
パソコンで読む時間は、	「**教養を深める**」時間だ。
スマートフォンで読む時間は、	「**暇つぶしの**」時間だ。

図表5-9　文章完成法での回答

出所：博報堂ＤＹメディアパートナーズメディア環境研究所[注5-3]

5-7「加算時間価値」と「減算時間価値」

次に示すのは、2019年7月、博報堂ＤＹメディアパートナーズメディア環境研究所が大阪で開催した「メディア生活フォーラム関西2019」で実施したパネルディスカッションの内容です。パネリストとして登壇いただいた関西学院大学鈴木謙介准教授の話から重要なポイントを抜き出して紹介します(注5-4)。

(鈴木准教授の発言)
今まで「メディア満足」という言葉でイメージされるものは、メディアのコンテンツ自体、つまり中身が面白いかどうかということだったと思うんですね。ところが、メディア接触400分時代の生活者が感じているのは、メディア・コンテンツに触れている時間の「価値を高めたい」ということなんです。メディア接触時間のカギを握っているのは「加算時間価値」と「減算時間価値」という２つのコンセプトです。減算時間価値ではなく、加算時間価値を高めることが大事です。
松岡真宏さんは著書『時間資本主義の到来』(注5-5)の中で、「すきま時間」と「かたまり時間」という言葉を使っています。これまで時間は大きなかたまりとして使われることは多かったけれども、一方で死んでいるすきま時間も多かったというのです。例えば、電車の移動時間、スマホがない時代、皆さんは何をしていましたか？　寝ていた、外を見ていた、せいぜい本を読んでいた……はっきりとこれをしていた、というイメージがないかもしれません。では今はどうでしょうか。ほとんどの人がスマホを見ていると思います。つまり電車の移動時間という「死に時間」は今、スマホによって価値のある時間に変えられるようになったのです。では、価値ゼロだったすきま時間が利用可能になるとどうなるか。これまでだったら仕方ないと思われていた時間が、「無駄な時間」だと意識

されるようになったのです。

ちょっとした実験をしてみます。

・・・

僕はいま、3秒間黙ったんですけど、「えっ？」と思いませんでした？皆さんの3秒というのはそういう時間なんです。これまでだったら3秒黙ったところが大した問題じゃなかったのに、いまはこの3秒で「えっ？」となる。ある男性はエレベーターに乗っている数十秒が暇で許せないと言います。そういえば最近多くの企業でエレベーター内にモニターがあってニュースなどを流していますね。

かかった時間が無駄にならないように、時間内の無駄な時間を引き算するのが減算時間価値。具体的には、待ち時間を減らしたり、短時間で消費できるようにしたりするということです。もう一つが、価値のある時間を増やすという加算時間価値で、価値の高い時間を延長したり合算したりしていくというものですね。メディアの場合だとどうでしょうか。例えば番組を1.5倍速で見ると時間を節約することができます。だから再生速度を速くできるというのは、減算時間価値の提供にあたるのですが、では送り手にとって、あるいは生活者にとって、それは本当に価値ある時間なのか。こうしたことが問われているのです。

以上が鈴木准教授の話です。生活者は時間当たりの価値の中身で「メディア満足」を捉えているのです。その価値とは2種類あります。

一つは、できるだけ効率的に短時間で多くの情報や内容が得られるという「減産時間価値」。「バラエティ番組の重ね見」や日頃我々がスマートフォンを使って行うすきま時間での情報処理（メッセンジャーの返信、ソーシャルメディアのチェックなど）などが、これにあたります。

もう一つが、「このコンテンツ（映画や番組）をずっと見ていたい、聞いていたい」「このコンテンツに関連する情報をもっと知りたい」といった「加算時間価値」。「夜寝る前の新聞・雑誌の閲読」や「暗闇ラジオ」などがそれにあたるでしょう。

加算時間価値と減産時間価値は矛盾しているように見えるかもしれませんが、両方とも、「情報過多時代の生活者にとっては価値がある」点が重要です。

メディアやコンテンツの送り手側は、コンテンツ自体、つまり中身が面白ければ見てもらえると考え、「価値を高める」ために「質が高いコンテンツをつくろう」「より高画質な番組を」となりがちです。ゆっくりとした時間を提供するのが価値と考えているかもしれませんが、今はそうではなく、あくまで生活者側がその瞬間をどの時間と捉えるのかが重要になってきているのです。

5-8 まとめ：「主導権」は生活者にあり

情報過多時代に生活者は、メディア接触に自覚的になり、自分のメディア生活を再設計しようとしています。そのやり方は人それぞれです。

未知のコンテンツと一緒に「神回」コンテンツを視聴して「保険」を掛ける人がいます。また、スマートフォンに振り回され衝動的に情報フローの濁流の中に身を置くことを必要以上に忌避せず、それとは別に自分がじっくりゆったり有料コンテンツ（新聞や雑誌）、生放送（ラジオ局）に向き合って没頭する人もいます。「人」と書きましたが、この２つは同じ人が一方だけに偏らずにバランスを取っていることもあります。

スマートフォンからのプッシュ通知に代表される、受け身な情報態度を100%にするのではなく、自らのメディア生活を主体的にどう設計するか？　そのデザイン力が問われています。情報過多時代は、「メディア生活の主導権」が送り手から受け手（生活者）に移っていく時代なのです。

その主導権の範囲は、次に示すように毎年広がっています。博報堂ＤＹメディアパートナーズメディア環境研究所のここ3年の研究は、振り返ってみれば、情報過多時代を生きる生活者のメディア生活再設計の動きを長期的に捉えてきたと言っても過言ではありません（**図表5-10**）。

2017年のテーマは「“たしからしさ”を求める人々」でした。2016年秋の米国トランプ大統領就任とその後のフェイクニュース問題が注目されたことの影響を受けています。スマートフォン日本上陸10周年の年でもあった2018年のテーマは「情報引き寄せ」でした。これは、若年層を中心にみられた、情報収集の効率性を高める動きです。情報の送り手（メディア、プラットフォーマー）のアルゴリズムを逆手にとって、自分の嗜好性に合う情報だけを、自分のスマートフォンに引き寄せてプールするという手法です。そのプールした情報から意思決定のための情報を選択するため、情報過多の中でも、購買や選択の意思決定のスピード向上が図られていました。そして2019年のテーマが「新しい『メディア満足』のつくり方」でした。メディア接触時間は減らせないので、せっかくなら、その時間を良い時間にしようとする人たちを捉えた調査です。

これらを見ても、メディア生活再設計の主導権が、生活者側に移っていっていることが明らかでしょう。

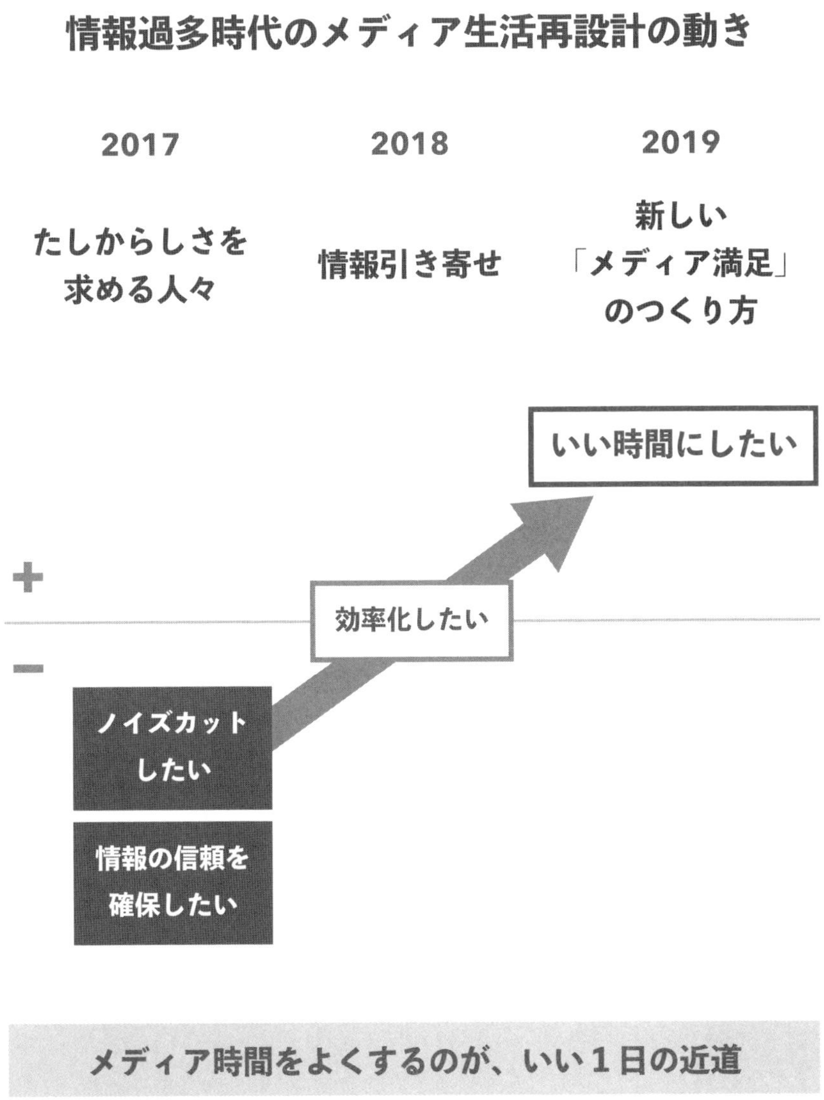

図表5-10　博報堂ＤＹメディアパートナーズメディア環境研究所のここ３年の研究

出所：博報堂ＤＹメディアパートナーズメディア環境研究所（注5-2）

第6章

大学生のインサイトから近未来を洞察する

6-1 モノづくりを目指す学生のニュース

「5GやIoTでモノがメディアになる」。そんな近未来を想定し、京都芸術大学では関連する授業を実施しています。実は「はじめに」で示した2つのサービス「情報整理サービス」と「情報共有サービス」のうち、後者の「友達と情報を共有するサービス」はこの授業で出てきたものです。

この章で紹介するのは、京都芸術大学芸術学部プロダクトデザイン学科で、2018年度に開講した半期の演習授業の内容です。学科に在籍する学生の多くは、自動車、家電、玩具などのモノづくりにおいてデザイナーを目指しています。第4章で登場した法政大学社会学部の学生と同じ世代ですが、接しているメディアは異なり、特に「ニュースをほとんど意識したことはない」と言います。

そんな大学生に、自分が欲しい情報サービスのプロトタイプを考えてもらうことにより、「情報接触の課題や要望を浮かび上がらせよう」とした授業です。プロトタイプ手法は「デザイン思考」で、企業向けのワークショップなどでも取り入れられています。

ここで用いているプロトタイプはちょっとした工夫がされています。狙いは、「アイデアを形にするプロトタイプ」ではなく、「インサイトの発見」です。「インサイト」とは、本人も気付かない潜在的な欲求のことで、マーケティング用語としてよく使われます。プロトタイプを実施することで自分の欲求を形にし、大学生の情報接触スタイルの課題意識を捉えようとする試みですが、自分の考えを明確に形に表すのは至難の業です。そのため、演習授業の終了後に、教員がインタビューを実施し、インサイトの解像度を上げていくようにしました。

このような、アイデアを形にするのではなく、インサイトを抽出するプロトタイプは、新たなサービスを考えるのに非常に有効であることも分かってきました。詳しくは第８章でも解説します。

■ ニュース離れを解決するIoTサービスを提案する

では、プロトタイプの説明に進みます。課題を「情報接触」とするとちょっと大きなテーマになるので、「ニュース」に絞りました。学生には、プロジェクトマネジャー（教員）とともに、「若者のニュース離れを解決する、IoTサービスを提案するプロジェクト」という想定だと説明しました。

プロトタイプの手順は**図表6-1**の通りです。順に説明します。

図表6-1　プロトタイプの手順

出所：野々山正章

■ STEP1　相互インタビューでニュースへの意識を探る

学生たちは、普段からニュースメディアについて考えているわけではないので、まず、ニュースについて学生同士で相互インタビューをしてもらいました。他者からインタビューされることで、自身の普段のニュース体験を振り返るようにしたのです。

相互インタビューでは「そもそも、ニュースって何ですか？」といった質問が相次ぎ、「ニュースとは何か」から探ることになりました。

ある学生は、「一番に印象に残っているニュースは何か？」の質問に、「ある野球選手の逮捕」だと答えていました。その理由を聞くと「家族と一緒にテレビの特集番組を見ていたから」ということでした。一方で、ソーシャルメディア経由で触れたニュースについては、「あまり覚えていない」と言います。スマートフォンの中で完結してしまっているので、「誰かに話すといった行動に発展しない」という話がありました。ソーシャルメディアで知ったニュースを友達に話すと「それ、先週の話だよ」と言われた経験があり、自分にとって新しい情報でも、人にとっては違うことがあり、やり場のない気持ちになる、という話もありました。

■ STEP2　カスタマー・ジャーニー・マップで課題を抽出する

相互インタビューの結果を踏まえて、カスタマー・ジャーニー・マップの制作に取り組みました（**図表6-2**）。

4-8でも示していますが、カスタマー・ジャーニー・マップで時系列に見ていくと、1日の流れの中で「この時間にニュースを見る」という活動はあまりみられません。通学中のすきま時間などに、散発的に気になっ

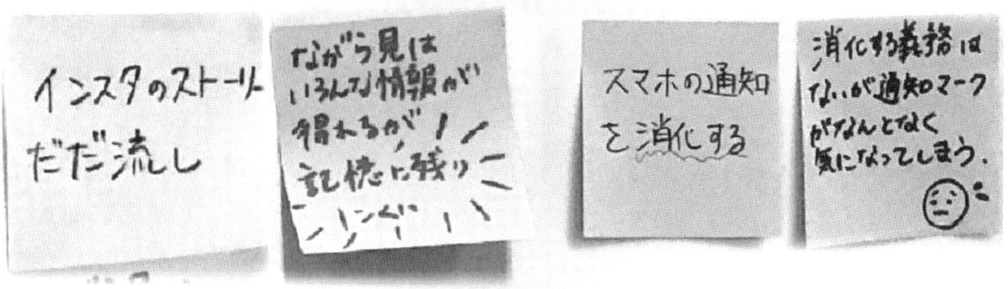

図表6-2　カスタマー・ジャーニー・マップの例

出所：野々山正章（注6-1）

たときにTwitterなどで調べてニュースに接触するとか、家事や食事といった何か他のことをしている最中に、テレビやYouTubeから聞こえてきた「こと」が気になって調べてニュースに接触するなど、自分の生活リズムの中で、たまたまニュースに触れるような行動がみられました。

「スマートフォンアプリからの通知は気持ち悪い」という意見も出てきました。特に、ニュースアプリからはたくさんの通知が届き、どんどんとたまっていく。気になった時に開くが、あまり中身は見ない。試験期間などで忙しくなると、それも面倒くさくなってアプリをアンインストールするそうです。また、「次にしなければならないこと」が迫ってきた時に気になるニュースを見つけた場合、その「しなければならないこと」を終えてみると、すでにさっき気になっていたことは忘れてしまい、「あの時の気持ちは何だったのかと思う」といった意見もありました。

こうしたことから、ニュースに関するいくつもの課題が見えてきました。

■ STEP3　課題を受けてサービスを設計する

カスタマー・ジャーニー・マップで見つけ出した課題をIoTサービスの提案に結びつけるために、設計したい部分を特定します。

例えば、「ニュースを見続けるには、頑張らなければいけない」という課題があれば、その課題を解決するために、「頑張るハードルを下げるためにモチベーションを上げる」サービスを設計しないといけません。具体的には、「読むごとにポイントがたまる」といったサービス提案が考えられます。

すでに描いたカスタマー・ジャーニー・マップを見渡して、デザインを提案します。どの情報に接触するタッチポイントがどのように変化するかが見えてくれば、それから、新しいユーザーの体験を想定したカスタマー・ジャーニー・マップを再構成します。そして、IoTデバイスの活動上必要な形状の想定や、スマートフォンへの接触のタイミングから、必要な機能やメインになる画面および画面遷移を考えていきます。

今回提案されたプロトタイプは以下の9件でした。

(1) 玄関に貼っておいて持っていける付箋紙型ニュースビューワー
(2) 出先の天候に合わせたコーデを提案する洋服タグ
(3) すぐに共有できるワイヤレスイヤフォン
(4) 過去に見たニュースに誘うIoTコンパス
(5) 目の前にいる人の興味のあるニュースが分かり合えるイヤーカフ
(6) シャワータイムにニュースに触れるスマートスピーカー
(7) 手元にニュースを埋め込み共有にも使えるリング
(8) GPS情報に基づいたローカルニュースアプリ

(9) 眠るためのニュースプロジェクター

これらの提案には、新たな情報接触スタイルで解決すべき課題が詰まっています。この９つの提案は「共有型」「リズム型」「偶然型」の３つに分類することができました。6-3以降で各分類をそれぞれ取り上げますが、その前に、「はじめに」で紹介した「友達と情報を共有するサービス」を紹介します。

6-2 サッカー日本代表の話題共有はリスキー

具体的には、「(5) 目の前にいる人の興味のあるニュースが分かり合えるイヤーカフ」です (図表6-3)。

提案されたイヤーカフは、正面から見えるようにLEDが付いています。友達などと一緒に装着する想定で、お互いが見たニュースで同じものがあればLEDが光ります。そうやって、目の前にいる人と興味のあるニュースが分かり合えるようになり、同じニュースの話題で盛り上がる

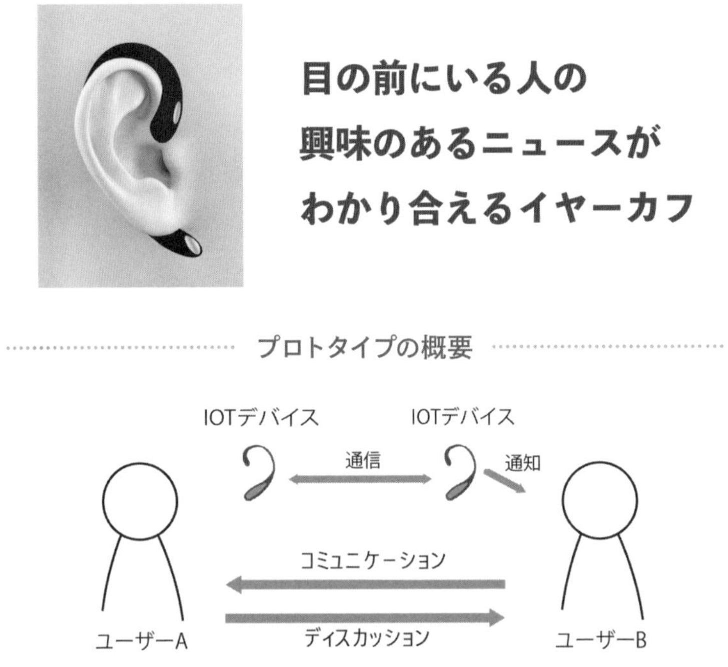

図表6-3　目の前にいる人の興味のあるニュースが分かり合えるイヤーカフ
出所：野々山正章（注6-1）

ことができるという提案です。

「はじめに」では、日本に来てからサッカーが好きになった中国の留学生の話をしました。母国はサッカーがあまり盛んではないので留学生仲間には話が通じない一方で、日本人のサッカー経験者の詳しい話にはついていけない、ということでした（**図表6-4**）。

■「マウンティング」されずにコミュニケーションしたい

「マウント」「マウンティング」という言葉が話題になることがあります。知識をひけらかし、優位に立つ自慢話をされてしまうと、コミュニケーションは楽しいものではなくなってしまいます。この留学生の場合、「『サッカー日本代表のこと、どれだけ知っているの？』などと突っ込まれ、具体的な選手の細かいエピソードの話をされると、きっとついていけない」「単純に話を楽しみたいだけなのに」という気持ちになることを心配しているということです。対面の場でも普通のコミュニケーションの中でも、ニュースについての情報共有は、マウントを取られかねないリスクを持っているということなのでしょう。

サッカー日本代表の話題は多くの人が興味を持っているはずです。サッカーワールドカップがあった2018年、ビデオリサーチによるテレビの年間高視聴率ランキング（関東地区）1位は、ワールドカップの日本対コロンビア戦で、48.7％の平均世帯視聴率を叩き出しています。トップ10のうち6つがサッカーワールドカップで、あとはNHK紅白歌合戦と、平昌オリンピックです。

これだけ大きなメディア・イベントであっても、学生は共通の話題として話をすることに躊躇するそうです。「自分が興味のある情報を他の人が知っているかどうか分からない」「興味がありそうなテーマでも、その情報への理解のレベルを気にしてしまう」そうです。多くの学生は「コミュニケーションが難しい」と感じているのです。

つまり、学生は「共通の話題などない」という前提を置いているのです。であるからこそ、「共通する話題があるかどうか」「話してよいことなのか」「そのレベルはどの程度なのか」を事前に知っておきたいとなるわけです。

先に紹介した9つの提案は、実装するにはさまざまな問題点がありますが、彼ら彼女らのいるメディア環境の課題が浮かび上がるものでした。ではここから、学生が提案したプロトタイプの３つの分類（共有型、リズム型、偶然型）を説明します。

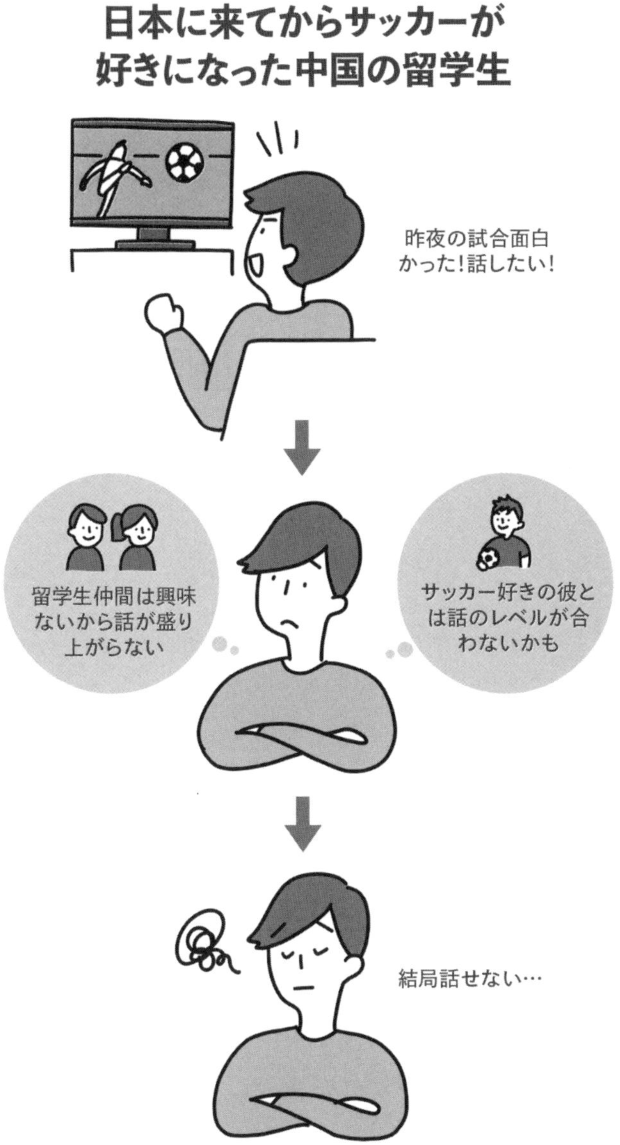

図表6-4　日本に来てからサッカーが好きになった中国の留学生

出所：野々山正章

6-3 ①共有型：意外な「共有したい」欲求

最初は「共有型」です。学生から提案された共有型の特徴は以下の３つです。

- 家族や兄弟、親友、近しい人への、直接的な共有
- 興味があるだろう、もしくは興味があると分かった状態での共有
- 気になった瞬間に、ワンアクションで共有できる

命名するなら「すぐに共有できるワイヤレスイヤフォン」となるでしょうか（図表6-5）。

この「すぐに共有できるワイヤレスイヤフォン」は、ニュースを流してくれるアプリと一緒に使う提案で、移動時間などに使ってニュースを音で聞くという発想です。この提案に行き着いた背景には、

「たまにはニュースを見るが、見ないときは本当に見ない」
「他に楽しいことがいっぱいあるのに『何でニュース見なあかんねん』」
「少しでも時間があるとスマートフォンに届いている通知を見たりソーシャルメディアをチェックしたり、それらを一通りやってからやっとニュース」

というように、ニュースに「遠さ」を感じていたことがあるそうです。そこで「意識しなくても耳に入ってくる」ようにすることで、ニュースの「遠さ」を近づけていきたいという提案でした。もちろん、すきま時間、ながら接触にも対応しています。

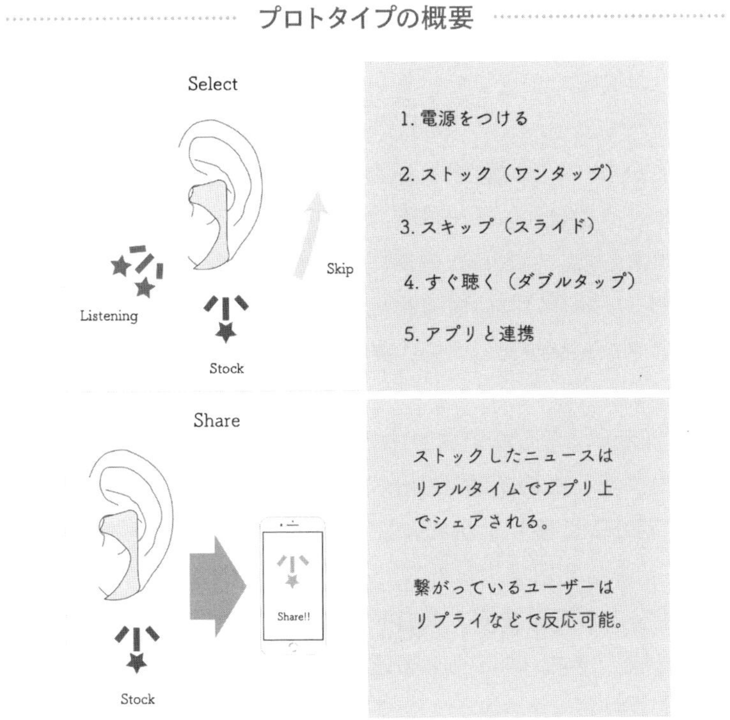

図表6-5　すぐに共有できるワイヤレスイヤフォン
出所：野々山正章（注6-1）

さらに、このワイヤレスイヤフォンは、イヤフォンに対してジェスチャをすることで友達とニュースをシェアし、友達はスマートフォンでより詳しく記事を見ることができます。ここでポイントとなるのは、シェアされた友達はニュースを聞いていない、つまり、「記事を詳しく見てからシェアするのではなく、シェアが先」だということです。これでは、前項で説明したように「リスクのある情報共有」と感じた人もいるでしょう。

■とても近い人と使うことを想定したイヤフォン

実は、この提案で想定しているシェア相手は限られた人です。カスタマー・ジャーニー・マップでは、「ニュースで地域の名前を言ってて、その地域名からパッと地元の友達の顔が浮かんだ」シーンだそうで、事後インタビューでは「ニュースを共有すると言えば、弟や母」という話をしてくれました。つまりこの提案は、とても近い人を相手として考えているので、リスクのない情報共有だというわけです。シェアをした相手からリアクションがあったら、実際に会ったときに話すことを考えているのでしょう。

1-1では、「テレビの話題はしなくなった」という学生がいる一方で、「ドラマの話でよく盛り上がる」という相反する不可思議な話をしました。6-2で紹介した留学生は前者で、後者はすでに話をする相手がドラマ好きだと分かっています。共有する前提をすでに決めているイヤーカフの提案も同じです。ニュースの速さに対応しつつ近い人たちと共有することができれば、マウンティングを取られるなどのコミュニケーションのリスクを回避できるのです。共有型のプロトタイプを見ることで、この不思議な回答の謎を解くことができるのです。

第３章のまとめで「自分事になる文脈をいかに用意できるかがポイントになる」との提案がありますが、単純に「自分事」になるだけでなく、その話題を共有しても安心な状況をつくり出すことも大事になるでしょう。

6-4 ②リズム型：失った時間を取り戻す

次は、「リズム型」です。これは、玄関やお風呂、寝室といった生活空間で、そこで行われるアクティビティに沿った形でニュースを得られるように配置する提案です。ニュースを短い動画や音声、テキストなどマイクロコンテンツ化し、時間的にも情報的にも圧縮した上で、個人の生活上必ず起こるアクティビティを邪魔しない形にすることで、ニュースに接触できるようにするのです。

■ シャワータイムにニュースを聞く

図表6-6の提案は、シャワータイムにニュースを聞くことができるスマートスピーカーです。「先輩や先生から『そろそろ就活だからニュースは見ておけ！』と言われて、ニュースを得たいと思っているが、そもそもニュースを見る習慣がないし､なかなかニュースを得る機会がない」という経験から、提案されました。スピーカー＋プロジェクター端末を用いて、入浴中に音声でニュースを流しています。お風呂の中でできるジェスチャ操作で再生するコンテンツをコントロールし、後からスマートフォンでチェックできるようになっています。

「お風呂場にはあまりモノがなく、一定時間同じ場所にいる。ニュースに触れるのにいいかも」と考え、さらに、習慣化するにはすでに習慣化されているシャワータイムにニュースを組み込むことを考えたとのこと。

なぜ、シャワータイムなのでしょうか。事後インタビューで聞いてみると、「子どものころからテレビ番組を見ることは習慣化しておらず、

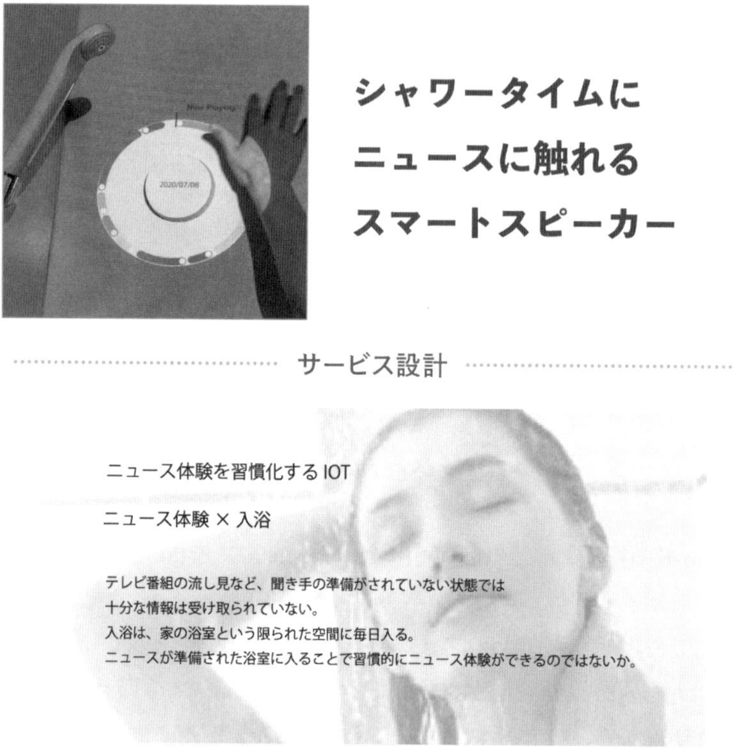

図表6-6　シャワータイムにニュースに触れるスマートスピーカー
出所：野々山正章（注6-1）

学校が終わったら学童とか塾に行って、そこからまた車で移動して習い事に行く。外食も結構多くて、そもそもリアルタイムで見る番組が少なく、見ている番組（の種類）が少ないから、録画した番組を何回も見ることが多い」という話が出てきました。録画したものをオンデマンドで見ることが当たり前になっていたのです。

■ ご飯を食べるついでに「news zero」を見る

4-4の法政大学の学生の調査からメディア時間が喪失したという話がありました。以前は「地上波のリアルタイムコンテンツを見るために家に帰る」「その時間までにご飯を食べ、番組が終わってからお風呂に入る」といったようなコンテンツと生活時間のひも付けがありましたが、今はすでになくなっています。

この学生は夜のニュース番組「news zero」を見ることが多いそうなのですが、「学校から帰ってご飯をつくって食べるタイミングに放送されているのがたまたま『news zero』」と言っている通り、「news zero」を見るついでにご飯を食べるのではなく、ご飯を食べるついでに「news zero」を見ているにすぎません。テレビの番組はご飯を食べる時のついでなので、最初から見ていないし、最後まで見ないのです。

このエピソードで重要なのは、テレビの視聴が時間にひも付いているのではなく、アクティビティにひも付いていることです。食事の時のすきま、ながらはテレビで埋まっているから、まだ“空いている”シャワータイムに設定したのでしょう。ニュースというリアルタイム性が高いコンテンツであったとしても、朝刊や夕刊、夜のニュース番組といったメディアの時間が生み出すリズムに合わせてオンエアを見るわけではなく、個人の生活のリズム、行動とともにニュースを流し見したいという欲求が見えてきました。

■ ジェスチャ操作でニュースをスキップ

この提案には、簡単な手のジェスチャ操作でニュースをスキップしたり戻したりという操作機能がついています。**図表6-7**は、学生のカスタ

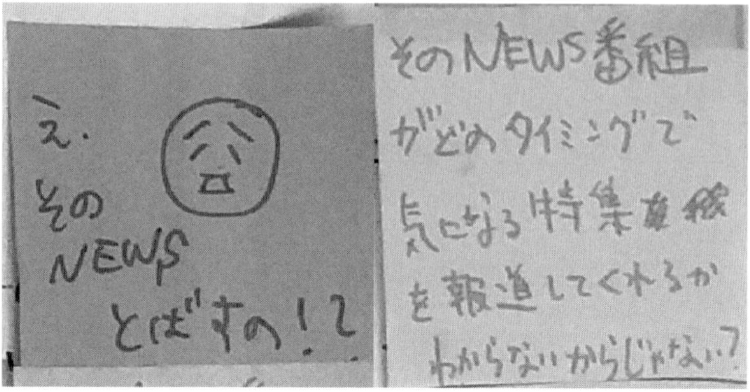

図表6-7　ジェスチャ操作を入れるきっかけとなったこと

出所：野々山正章（注6-1）

マー・ジャーニー・マップにあったもので、「news zero」を見ているときに「え？　そのニュースを飛ばすの」とネガティブに感じたことを示しています。

　ニュース番組では、ヘッドラインでニュースを一覧で紹介しつつ、全部を紹介せず飛ばしてしまうことがあります。そこから「ジェスチャでニュースをスキップしたり戻したりする」という発想になったそうです。「主体的に操作したい」という意識が垣間見えます。このような工夫は、第５章の「メディア満足のつくり方」に通じるものがあります。

6-5 ③偶然型：ふいにニュースに触れたい

最後は「偶然型」です。生活上の活動の中で思わぬ形でニュースと出会い、そこから過去に見たニュースを思い出し、「コミュニケーションや行動にひも付づくカタチで再利用してニュースを使いたい」という提案でした。自分にひも付づいたニュースに「偶然」を感じて出会うことによって、ニュースとの距離感を近づける若者のニュースへの意識が現れているように思います。

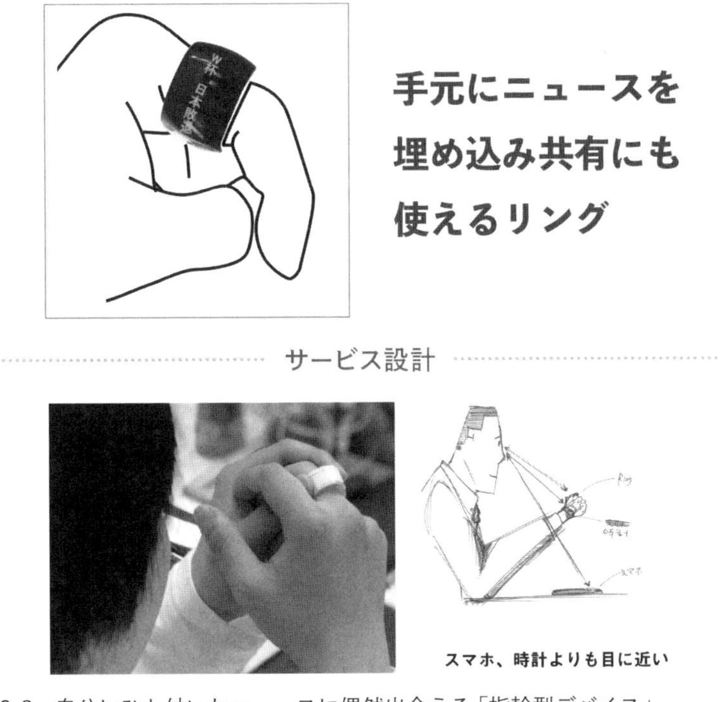

図表6-8　自分にひも付いたニュースに偶然出会える「指輪型デバイス」

出所：野々山正章（注6-1）

２点のプロトタイプを見てみたいと思います。

■スマホよりも身近な「指輪型デバイス」

一つ目は、指輪型のニュースブラウザです（**図表6-8**）。

この提案は、スマートフォンよりも身近で、つい癖で触ってしまう指輪にニュースが流れることで、不意に目に入り、その不意に目に入った時に気になったらリングをタップすることでストックしておくことができ、その後、友達とネタとして話すことを想定しています。このリング型という提案は、スマートフォンやスマートウォッチよりも、すぐに見える”近い”存在としてデザインされています。

このデザインをした学生に事後インタビューをしたところ、次のような制作意図を話してくれました。

「ニュースというすげえ固いやつを自分に取り入れようとすると、すげえ上のほうにあるんですよ。めちゃめちゃ上のほうにあると思って、それを取りに行くのはしんどいかなと思ったので、偶然下からぽんと出てきたりとか、横からぱっと現れたりするように、ふいに簡単に目に入ったら、上に行くより取得しやすい」

その他にも、こんなことを言っています。

「知識があるのはかっこいいと思うから、ニュースはそれなりに見たほうがいいと思う。でも、見ようと思うとよう分からんし、どうよ、みたいな感じ」

ニュースに価値があることはこの学生も認めているのですが、自分との位置関係に遠さを感じているのです。ソーシャルメディアで触れるニュースをノイジーに感じていて、そう言ったことも”遠さ”や”上のほう”という位置関係を感じる原因になっているのではないでしょうか。

ニュース記事のタイトルだけに絞るというのも、彼らなりのリテラシーかもしれません。「Twitterを開いたら、『テレビ局は何でここは映さへんねん』みたいなアンチのコメントがばあっと並んでいて、政治どうたらこうたらとか、そんなん見るのはしんどい」とも話していました。第４章では断片的なニュース経験があることを紹介しましたが、タイトルを見た後にニュース本体に触れてがっかりするぐらいなら、タイトルだけで近い人たちと話すというのは、コミュニケーションのためのニュースとしては納得できる使い方です。

■近くで起きたニュースを知らせる「コンパス型デバイス」

二つ目のプロトタイプは、コンパス型デバイスです（図表6-9）。「暇だと思って街に出ても、なかなか目的をつくることができない」「過去に見たニュースを忘れてしまい、結局行動につながらない」という課題から、過去に見たニュースの位置情報と、現在地の位置情報を基に、この近くに過去に見たニュースと関係する場所があることを知らせる提案です。

このコンパス型デバイスは、見たことも忘れてしまったようなニュースが対象です。「もう一度ニュースに出会うことで有益に情報を使いたい、自分の役に立てたい」と思っての提案です。発案者の事後インタビューでは、次のように語っています。

「授業では『共有したほうが楽しい』というインサイトを見つけている人が結構多かったんですが、『そうかな？』とずっと思っていたんですよね」

こうした発言から、情報を共有することで使ったつもりになって消費してしまうのではなく、「自分のためにしたい、けどできない」というような意識が見えてきました。

5-3では神回コンテンツを保険にする大学生が登場しましたが、ここで出てくる過去のニュースは神回とまでは言えなさそうです。しかし、過去に見たことがあるニュースを再検討することは、まったく新しいコンテンツよりも価値を見いだす可能性が高そうです。

このように、偶然といっても、どんなコンテンツでもいいわけではありません。ハズレを減らし、アタリの確率を高め、共有できることの大切さが見えてきました。

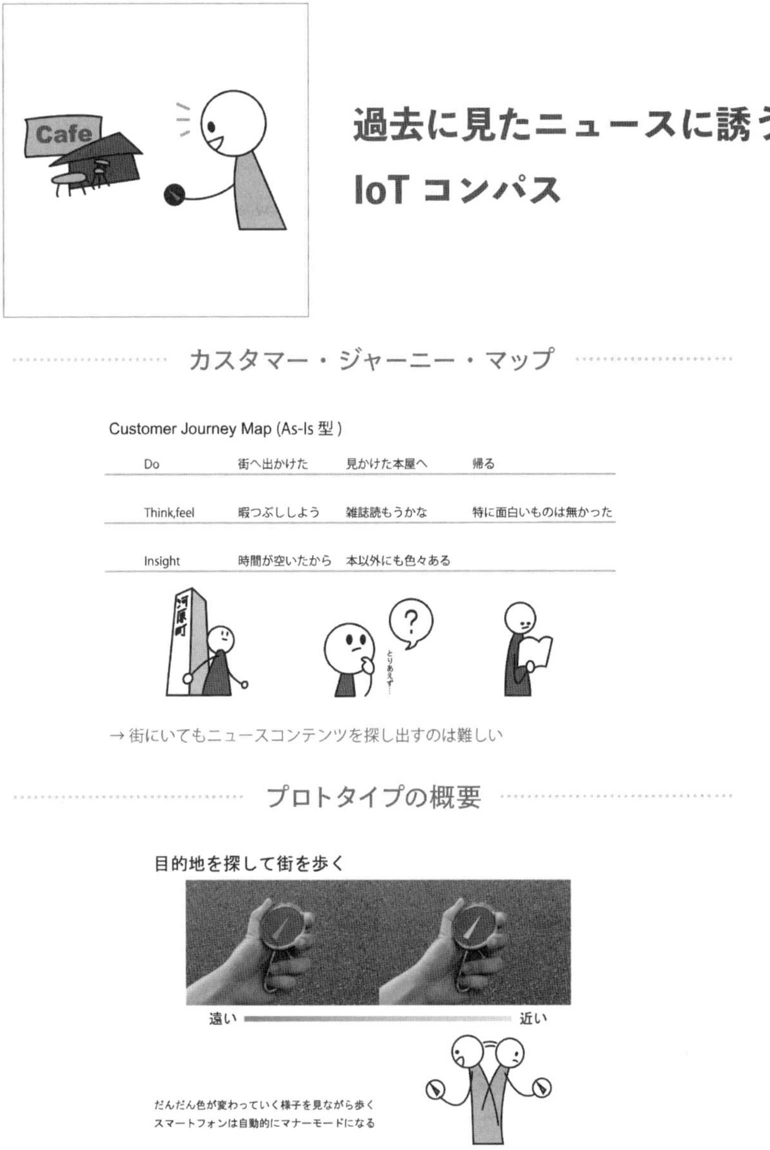

図表6-9　ニュースが近くで起きていたことを知らせる「コンパス型デバイス」
出所：野々山正章

6-6 情報豪雨の中のライフハック

これらのプロトタイプを基に、新たな情報接触スタイルのど真ん中にいる学生のインサイトから見た解決すべき課題をまとめます。

・ハズレ前提で傷つくことを回避する
「いいニュースに当たってる感覚がない」
「気になって見ても、結局、忘れちゃう」
「友達と盛り上がれない」

事後インタビューでは、ニュースに対して良い経験談よりも、ハズしてしまった経験がよく聞かれました。

豪雨のように情報を浴びているからこそ、なかなか求めている情報に出会わないため、ハズレを前提に考えるようになるのです。提案されたプロトタイプも、一見すると共有型、リズム型は効率よく情報を“浴びる”タイプの提案となっているのですが、ディテールをよく見ると、スキップ機能を備える提案が多くみられます。どんどんスキップしていきながら、ハズレそうなものを飛ばし、ハズレっぽくないものを残しておきながら、ざっと眺めて大勢を判断していくのは、理にかなった行動と言えるでしょう。早く、多く、情報を浴びることで、一つひとつに使う時間を減らし、軽くいなすことで、ハズレた時のダメージを少なくし、数少ないアタリを引ければ嬉しいという提案になっています（**図表6-10**）。

このハズレ感は、「自分の得たい情報かどうか」だけでなく人とのコミュニケーションについても同様に存在します。誰もが違う情報を得て

図表6-10　ハズレを前提に考える
出所：野々山正章

いるとなれば、ニュースをコミュニケーションとして使うこともハズレが前提となります。そのため、同級生に話すときも、相手を吟味して選び、話題を慎重に選んでいるのです。

プロトタイプの共有型に関するカスタマー・ジャーニー・マップなどからは、ニュースについて意見の相違や場にそぐわない意見になってしまうことを恐れ、それ以前に、相手が知っているかどうか、興味があるかどうかも分からない話題を出してしまうことで、自分が傷ついてしまうことを恐れている様子がうかがえました。

逆に、ハズレを含む、ノイズと言ってもいいような情報の中から、気になるものも見つけたからには「使いたい」「共有したい」という意識が見えます。そこでハードルを上げているのが、ニュースの感覚的な「遠さ」です。

■ ニュースはリスクの高いコンテンツ

学生が抱くニュースとの位置関係は、「すっげぇ上のほう、遠い、固い感じ」「プライベートなスマートフォン、パブリックなニュース」といったように、自分との遠さを強調するような発言がありました。

スマートフォンという近いところで接しているにもかかわらず、手を伸ばして取るにはあまりにも億劫な存在になっているのです。これは、第４章でもみられましたが、ニュースと聞くと「政治・経済・社会に近いもの」というイメージが影響している可能性はあります。

昔は、気軽に人と話ができる社会の共通項としてニュースがありました。全国放送のニュースは、ハズレのない鉄板コンテンツでもあったのです。しかし、もはや「みんな」の共通項でないのは明らかで、見知らぬ人と話すには、ニュースはリスクの高いコンテンツになっています。今は、家族くらい近い人となら気軽に話せる話題でしかありません。

でも、留学生が「サッカーの話題を話したい」といった「みんなと共有したい」という欲求が消えたわけではありません。

■ 学生が語る「みんな」の二重性

ここで一つの発見がありました。授業や学生との事後ヒアリングを通して、「みんな」という言葉が二重に使われていることに気付いたのです（図表6-11）。

図表6-11　「みんな」という言葉が二重に使われている

出所：野々山正章

大学生が、プロトタイプのプレゼンで「みんなと共有したい」と言った場合の「みんな」の対象は、自分にとって情報を安全に共有できる「高校の時の友達」や「家族」と言った、とても近しい間柄を示していることが多いのです。お互いが理解し合っているのでハズレないコミュニケーションができる、安心できる情報圏です。大学の同級生の場合、共有する話題に気を使い、どういう情報を共有するかについても慎重で、そこまで「近い存在」とは言えないようです。

一方で、「すっげぇ上のほう、遠い、固い感じ」のニュースは他人事で、遠い存在で、そこにいる「みんな」は顔の見えない、広い「みんな」です。大学生からは、まるで電車の窓から見る風景のように見えているのかもしれません。ソーシャルメディアから流れてくるニュースは、遠くて、安心できない「みんな」のニュースなのです。

6-7 まとめ：リズム希求とハズレの嫌悪感

大学生たちのプロトタイプから見えてきたのは、時間を取り戻し、ハズレを回避する工夫です。

■ メディアを起点にリズムをつくるのは難しい

マスメディアは、新聞の朝刊や夕刊、9時のニュースの時報、ドラマの月9（フジテレビで放送される月曜9時からのドラマ）、などで時間をつくってきたと言えます。それに従うように、私たちの生活のリズムもつくられてきました。しかし、スマートフォンなどから絶え間なく大量の情報が流れ込むようになると、「豪雨の中にいる」ような状況になり、社会的な時間を示していたマスメディアの影響が低下したことで、リズムや習慣といった時間的な概念を喪失させました。そこで、すでに習慣化されている食事やシャワータイムに合わせてニュースを見るような工夫が提案されました。

見逃し配信やNetflixのような動画サービスが普及してく中で、ますますメディアは、いつでもどこでも接触できる「オンデマンド」になっていくでしょう。このような状況では、メディアを起点にリズムをつくることはさらに難しくなります（**図表6-12**）。メディア企業の人たちからすれば、メディアを起点に生活をつくる、例えば、「朝のテレビ番組にある時報を見て、通勤のために家を出る」といったこれまでの生活の行動は、すでに変化しているのです。新型コロナウイルスの影響で通勤や通学もなくなり、リズムを失って不安になった人もいるかもしれませんが、大学生はすでにそのような状況にいるのです。

地球は動かないと信じられていた時代に、地動説を唱えたエピソードから、考え方が正反対になることをコペルニクス的転回といいますが、ここで起きていることは、「メディアをめぐるコペルニクス的転回」と言えます。

■ ハズレに向き合わざるを得ないからこそ、確実なものを選びたい

もう一つは、ハズレへの嫌悪感です。大学の友達と共通の話題で盛り上がれるプロトタイプ提案の背景には、ハズレを引きたくない心理があります。「誰もが知っている情報はほとんどない」というのが当たり前になりつつある状況に生きていると、共通項を見いだすことが難しく、情報が多すぎてアタリの確率が低くなります。普段の情報は受動的でよいけれども、好きな情報や興味があるニュースを能動的に取得しようとすると、とたんにハズレに向き合わざるを得ないからこそ、確実なものを選びたいという意識です。

主体的に情報を選択するとなれば、責任が問われます。それは避けたいが、新たな興味があるアタリ情報に出会いたいというアンビバレントな気持ちが表れているのではないでしょうか。情報に受動的な側面だけを見ていると、見誤ることになります。

メディアを起点にリズムをつくるのは難しい

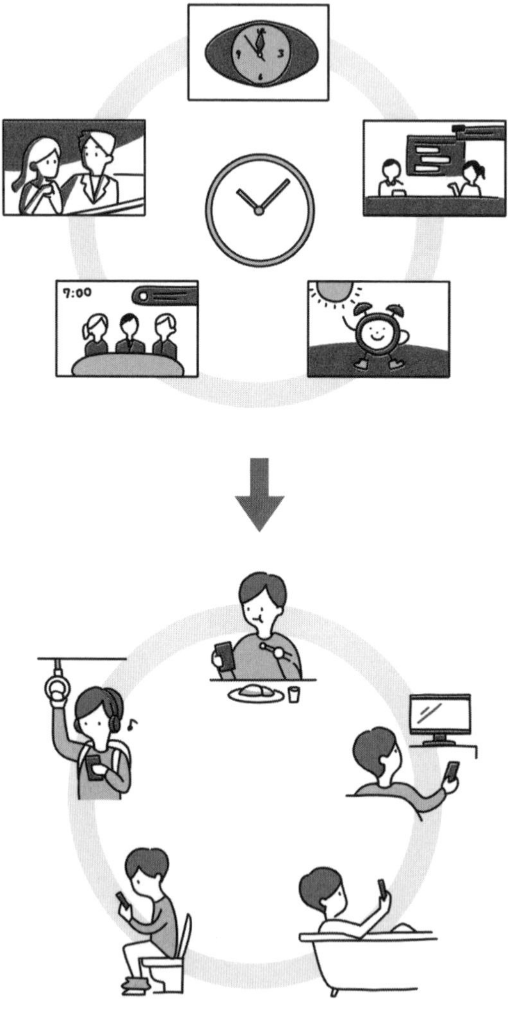

図表6-12　メディアを起点にリズムをつくるのは難しい

出所：久保田麻美／野々山正章

第7章

情報過多と「ズレ」の要因を知る

7-1「ズレ」はメディア経験のグラデーション

ここまで、新たな情報接触スタイルの解明を進めてきましたが、情報接触の「ズレ」を世代論に結びつける記述はできるだけ避けてきました。その理由は、年齢が高くても新たなスタイルになじみがある人もいる一方で、ピンとこない大学生もいるからです。

■経験を生むメディア環境は家庭や職場で異なる

では、「ズレ」は何によって起きているのでしょうか。第２章で「ズレ」はグラデーションで起きていると述べました。その要因を執筆陣が研究会で議論した結果、「メディア環境から生まれる経験」にたどり着いたのです。メディア環境というのは、家庭、学校、職場などの空間を取り巻くメディアのことです。**図表7-1**は、現在何歳の人が、どのようなメディアに触れてきたかをまとめたものです。

情報過多の大きな要因はスマートフォンにあります。アップル社がiPhoneを2007年（日本では2008年）に発売した後、スマートフォンと呼ばれる製品が次々と登場しました。スマートフォンのおかげで、インターネットに常時接続し、いつでもどこでも多様な情報に触れることができるようになったのです。

20代30代であれば、高校生や大学生のころに携帯電話にｉモードが登場し、社会人になればすぐにスマートフォンを持ったかもしれません。現在、大学生であれば、最初に持った携帯端末はスマートフォンやタブレットだったという人もいるでしょう。

しかしながら、このような経験は人により大きく異なります。スマー

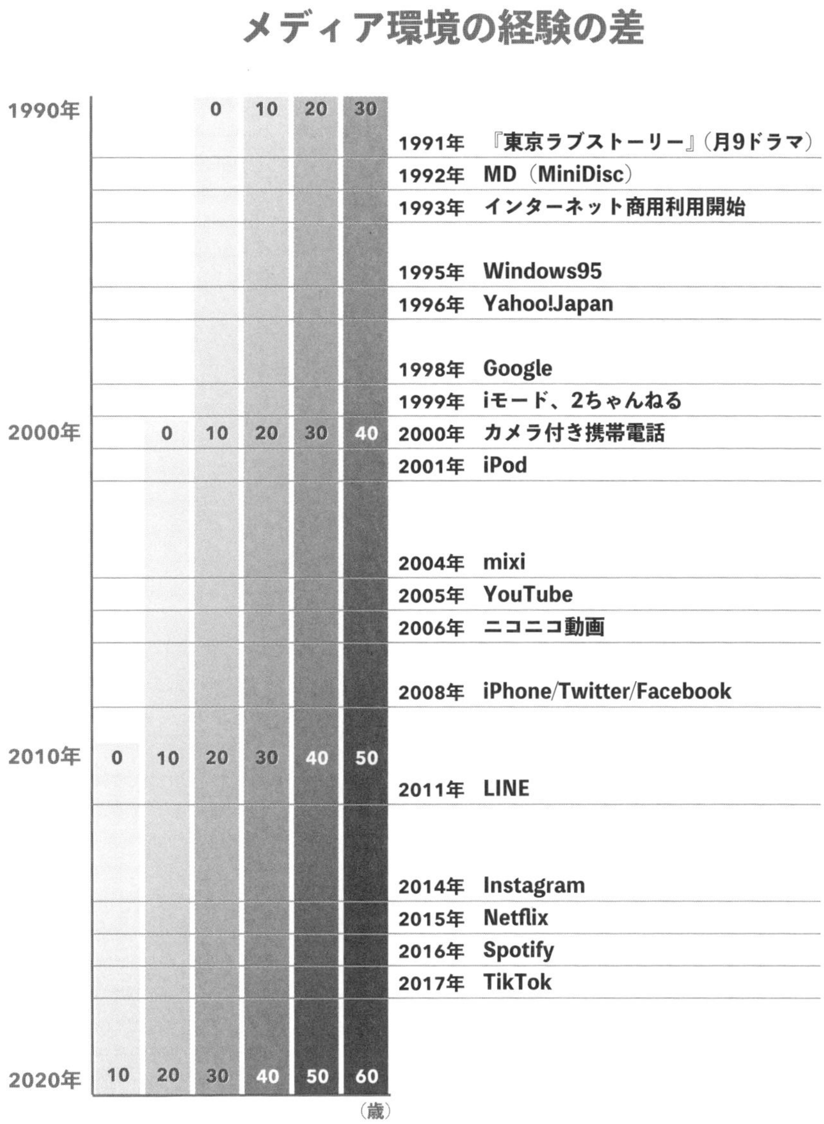

図表7-1　メディア環境の経験

Twitter、Facebook、Instagram、TikTok、Netflixは日本語版、iPhoneは日本での発売。出所：法政大学大学院メディア環境設計研究所トフォンの普及が50%を超えたのは2013年です。いち早く取り入れる企業や人がいる一方で、ゆっくりとなじんでいく人もいます。スマートフォンやタブレットが禁止されている家庭もあれば、小さいころから使っている家庭もあるでしょう。

年齢を重ねると仕事との関係が大きく、50代なら携帯電話を業務にしか使わないかもしれません。仕事でパソコンを使っているけれど、自宅にはないという人もいます。これらが、「ズレ」がグラデーションである理由です。

5GやIoTの普及によりこれから情報はさらに増え、この本で浮かび上がらせた新たな接触スタイルが広がっていくことは間違いありません。このようなメディア環境の変化は、情報が生活者に届く仕組みにも大きな変化を引き起こしたのです。

7-2 ブラックボックス化する情報流通

スマートフォン／ソーシャルメディアの時代とマスメディアの時代を比べると、情報が生活者にまでたどり着くまでの仕組みが大きく異なっています。スマートフォン／ソーシャルメディアの時代は「情報流通がブラックボックス化」しているのです（図表7-2）。

■ ソーシャルメディアはフリーマーケット

マスメディアの時代、テレビや新聞は、取材から配信まで一貫して行っていました。製造から販売まで一貫して手掛けるユニクロのような存在

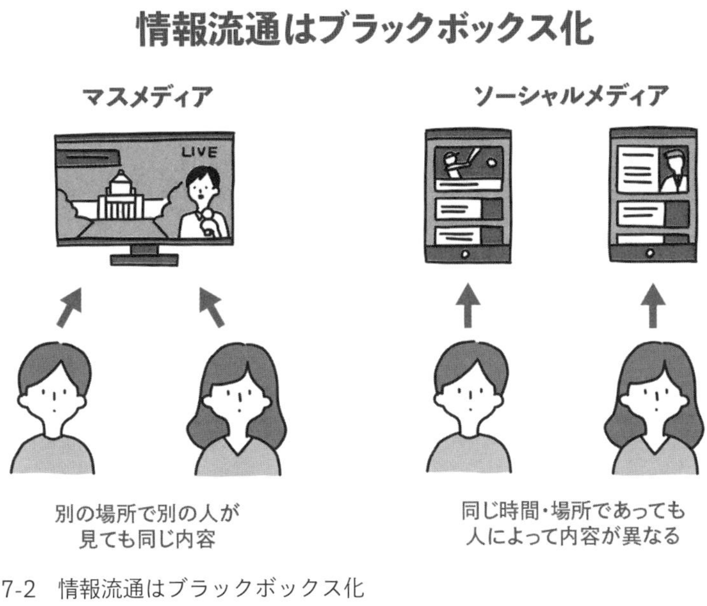

図表7-2　情報流通はブラックボックス化

出所：藤代裕之

と言えば分かりやすいでしょうか。発信された情報の責任はマスメディアにあり、間違えた場合は基本的には訂正されます。そのため、社会で流通する情報は、それなりに信用できるものとして受け取ることができました（もちろん、すべてが正しいわけではありませんが）。

一方、スマートフォン／ソーシャルメディアの時代は、いろいろな売り手がさまざまな商品を売っているフリーマーケットのようなものです。アタリもあればハズレもある玉石混交の世界で、どれを選ぶかは利用者側の責任です。

もう一つこれまでと異なるのは、テレビや新聞は同じ日時、同じチャンネルや紙面であれば、同じ内容を報じていますが、スマートフォンはそうとは限らないことです。同じアプリでも、そこに配信される情報は、利用者によって異なります。

スマートフォンに配信されている情報は、アルゴリズムにより分析され、一人ひとりに最適な情報が届けられています。どのようなサイトを閲覧しているか、サイトの滞在時間はどのくらいか、お気に入りの動画はどれで、見るのをやめた動画はどれか、誰とメッセンジャーでやり取りしているのか、何をソーシャルメディアに投稿しているか、地図アプリを使ってどこを移動しているのか。このようなデータがスマートフォンには蓄積されています。

さらに、検索エンジンに打ち込んでいるキーワードから、その人物の特徴を浮かび上がらせることができると、専門家は指摘しています。どのようなテーマに関心があるのか、何を購入し、どこに旅行にいったのか、転職活動から恋人と別れた時期まで推測することが可能です。このようなデータが、アルゴリズムの入力情報として利用されています。

■ 情報はどこを経由して届くのか、誰も見たことがない

さらに、ソーシャルメディアを経由した情報は、人のつながりにより偏りが出ます。新型コロナウイルスに関連する不確実な情報が友達やグループ経由で届いたという人もいるでしょう。そうやって届いた情報が「間違っているなあ」と思っても、グループのコミュニケーションが盛り上がっているために指摘が難しいことがあります。いつもつながっている人が話題にしやすい情報や同意しやすい情報が届きやすくなっているのです。これが、「フィルターバブル」と呼ばれる現象です(注7-1)。

このように、スマートフォンは何でも知っているのですが、利用者側はどのような情報をスマホが蓄積しているか、ソーシャルメディアなどを運営する企業が集めているかを確認することができません。まして、アルゴリズムがどのような仕組みになっているか知る由もないのです。情報はどこを経由して届くのか、誰も実態を見たことがないブラックボックスになっているのです。

これまでの調査でも明らかにしたように、人によってメディア環境の経験が異なり、さまざまなアプリやサイトが乱立し、流通経路は多種多様になっていて大変複雑です。そのため、個別のアプリやサイトのデータだけを見ていても、全体像を明らかにすることはできません。1-1で「大学生が一番使っているメディアは何ですか？」といった質問があることを紹介しましたが、どのメディアに影響力があるのかという問いは無意味なのです。特定のインフルエンサーや新興ニュースメディアに注目することは、ブラックボックスにおける一部現象を見ているにすぎません。大学生に関するメディアの謎は、ブラックボックスを理解していないために生まれているとも言えるでしょう。

このような、閲覧履歴や好みに合わせて情報が提供されるネットの仕組みは、3-8を見ると40代以下は7～8割が「知っていた」と回答していますが、60代以上は「知らなかった」が過半数を超え、70代以上では77%にものぼります。情報の流通経路がブラックボックスであることを感じながらも便利に使う人たちがいれば、ブラックボックスであることすら理解せず使っている人たちもいます。その差は、当然のことですがメディア理解や情報接触に関するさまざまな「ズレ」を生じさせるのです。

7-3 コンテンツ制作コストは限りなくゼロに

アルゴリズムにより情報が最適化されているとしたら、接する情報はいくら豪雨のように多くてもアタリの確率が高まるはずです。なぜ、ハズレるのでしょうか。友達や家族など近い間柄であれば、フィルターバブルも要因となりハズレないコミュニケーションが可能です。問題は、顔の見えない「みんな」とのコミュニケーションなのです。また、いくらアルゴリズムの性能が向上しても、たくさんのコンテンツがあれば、当然ハズレも多くなるし、良い偶然の出会いも起きません。

■「ミドルメディア」の登場

ここで、コンテンツが増加する経緯をまとめておきます。ソーシャルメディアの普及により人々の情報発信が増加すると、「ミドルメディア」と呼ばれるまとめサイトやブックマークが登場します。「ネットで話題のスイーツ」「Twitterで芸能人の発言が炎上」といった記事を見たことがあるでしょう。このような、ソーシャルメディアで起きた話題を紹介するニュースサイトやまとめサイトがミドルメディアです(注7-2)。

Yahoo!などのポータルサイトが扱うニュースの制作者を調査したところ、以前のトップニュースは新聞社が中心でしたが、次第にミドルメディアが配信する記事の割合が増えていったことが分かっています(注7-3)。ポータルサイトからすれば、マスメディア以外の多様なニュースを扱えるようになり、利用者のニーズに応えることができます。一方のミドルメディア側からすれば、ポータルサイトに取り上げられればアクセス数が増え、広告収入も増えるので、どんどんニュースをつくるようになっていきます。これまでメディア運営の経験がないウェブ制作会社やベンチャー企業も、ニュースやコンテンツの制作に乗り出していったのです。

■ 数百円で大量生産されるニュースが溢れている

このような構造が行き過ぎて批判を浴びたのが、2016年の「ウェルク」(WELQ) 問題です。大手ネット企業ディー・エヌ・エーが運営する医療・健康サイト「ウェルク」は、「肩こりの原因は守護霊」などの非科学的な記事を掲載していただけでなく、他サイトから文章のコピーや画像を不正利用していました。さらに、クラウドソーシングと呼ばれるネットで仕事を発注する仕組みを利用し、一つの記事を数百円、数千円という安い値段で大量生産していました。コストを抑えた記事でアクセス数を増やせば儲かります。

ウェルクは、大手ネット企業による運営だったため問題になり閉鎖されましたが、コンテンツ制作のノウハウは広く使われるようになり、ニュースを溢れさせています。気になる話題を検索エンジンで探すと、「話題の人の家族は、どの大学出身？」「人気アナウンサーの経歴は？彼氏は？」などのタイトルでネットの情報を集めた「トレンドブログ」と呼ばれるページが、検索上位になることが多くなっています。これらのほとんどが、質の低いコンテンツで、「タイトルを見て記事を読んでがっかりした」という経験がある人もいるでしょう。学生のニュースへの期待が低くなっている原因は、このような経験の積み重ねから生まれていると考えられます。

■ マケドニアの若者がつくったフェイクニュース

ネットに溢れるコストが安い不確実なコンテンツの一つがフェイクニュースです。米国大統領選挙に関するフェイクニュースは、東ヨーロッ

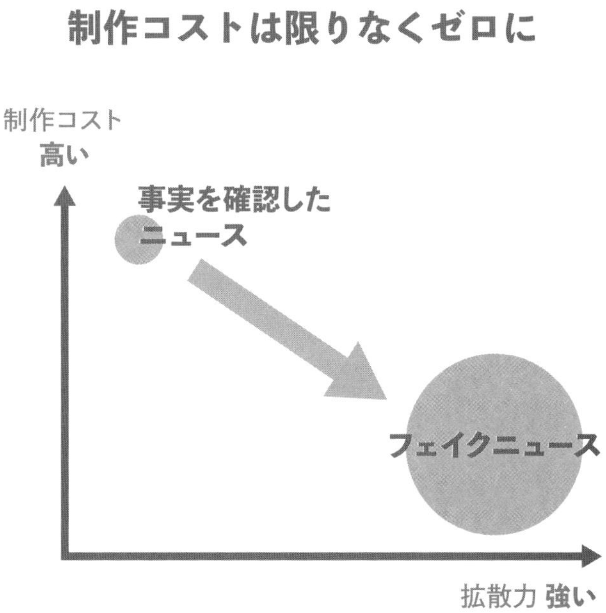

図表7-3　記事の制作コストは限りなくゼロに近づいている
出所：藤代裕之

パにあるマケドニアの若者がつくっていたことが明らかになっています。物価が安いマケドニアでフェイクニュースを製造したことで、多くのお金持ちが生まれたとされています。今や人工知能（AI）を使って大量に捏造記事をコピーしてつくることも可能で、記事の制作コストは限りなくゼロに近づいているのです（**図表7-3**）。

科学誌「サイエンス」に発表された論文によると(注7-4)、フェイクニュースは、早く広く拡散しており、その要因として「目新しさ」があると指摘しています。「トレンドブログ」は、何かニュースがあればすぐにつくられて拡散しており、フェイクニュース同様の特徴を持っていると言えるでしょう。

玉石混交の情報を見分けるには、「誰が書いているか」「どんな意図で書いているか」を確認するメディア・リテラシーが問われるとよく言われます。ただ、ブラックボックス化した流通経路にフェイクニュースが混じり不確実な情報が大量に流れている現状では、メディア・リテラシーがあっても見抜くことは不可能に近いのです。新しい情報接触スタイルでは、流れる情報を受け流しているように見えますが、そうでもしなければハズレを引くことになってしまうのです。

7-4 テクノロジーが時間を溶かす

アルゴリズムが引き起こすフィルターバブルは社会的な問題として知られるようになっていますが、「時間」に関する問題はまだ十分に知られていないように思います。情報過多に直面している大学生たちは、時間については強い課題感を持っていることが第6章のプロトタイプからも明らかになっています。メディアによる時間を失えば、生活のリズムを見失ってしまうのです。

ソーシャルメディアで面白そうな話題を見つけて、確認すると日付が数年前だったといった経験はないでしょうか。これは、ソーシャルメディアが時間軸を曖昧にしたサービスだからです。Facebookでは反応が多ければ過去の投稿でも表示されやすくなります、Twitterも話題のツイートがトップに表示されています。時系列にするためには設定を変更する必要がありますが、多くの人はその設定を知らないまま利用しています。ソーシャルメディアの投稿が表示される場所をタイムラインと呼びますが、その名前にもかかわらず「いま」を確認するところではなくなっているのです。

検索エンジンも同様です。探しているキーワードに近い情報を見つけることができますが、最新の情報を調べようと思うとなかなか見つけることはできません。検索エンジンでは時系列な情報は探しにくいのです。

マスメディアの伝える情報は基本的に時系列です。新聞の朝刊と夕刊、定時に流れる9時のニュースや朝の情報番組の時報など、時間を刻むテクノロジーと言えます。新聞の賞味期限は1日、週刊誌の賞味期限は1週間で、それより以前は「古いもの」として扱われる社会的な約束が存在しています。

新型コロナウイルスが拡大していく中で、マスメディアの時間も怪しくなっていきました。テレビ番組は収録が多くなり、ドラマやバラエティは過去の収録をリアルタイムの番組に挟み込むようになり「あれ？この番組、見たことあるような」となっていきます。リアルタイムなテレビ番組はニュースぐらいとなってしまいました。オンデマンドな情報接触が増えていくほど、メディアから時間を感じられなくなっていくでしょう。大学生のプロトタイプは、小さなころからオンデマンドな情報接触をしていた経験があるからこそ、時間に対する不安やリズムへの希求が生まれていたのです。

大学生に聞いてみると、投稿時に「いま」を表す場合は、InstagramやFacebookなどにある、時間がたてば消えてしまうストーリー機能を利用しています。世間の「いま」は、Twitterのトレンドで確認しているようです。「何か話題になっているものはないか」というテレビ的接触は、ソーシャルメディアの中でもTwitterのトレンドが担っています。

何かニュースに接触すると、それがどのように多くの人に受け入れられているのかをハッシュタグで検索し、さまざまな反応から「みんな」がどう考えているかを確認するようになっています。検索エンジンを使って事実や関連項目を確認しようとしても、フェイクニュースやトレンドブログのようながっかりするコンテンツで溢れています。そこで、ソーシャルメディアを使って、「みんな」の考えや意見をざっと確認するのです。

これらの接触スタイルは、「リツイートやいいね数が多ければ、自然と正しい情報だと認識していた」（調査を見た大学生の感想）という危うさをはらむ半面、フェイクに溢れるネット空間から情報を探すことでハズレるリスクを回避し、ソーシャルメディアが提示する「いま」を疑い、「みんな」を確認するリテラシーでもあると言えるでしょう。

7-5 逆転した「プル型」と「プッシュ型」

「情報流通のブラックボックス」「膨大に増え続けるコンテンツ」、そして「テクノロジーによる時間の溶解」。この3つがメディアの位置付けの変化をもたらしています。以前は、マスメディアはプッシュ型、インターネットはプル型と呼ばれましたが、それが逆転しているのです。

プッシュ型とは、情報を受動的に接触するタイプのメディアで、新聞やテレビのように勝手に送り込まれてくることからそう呼ばれました。一方、プル型は能動的な情報接触で、利用者が知りたい、何かを探しているときに使うメディアのことで、ポータルサイトやグーグルなどの検索エンジンのことを指しました（**図表7-4**）。

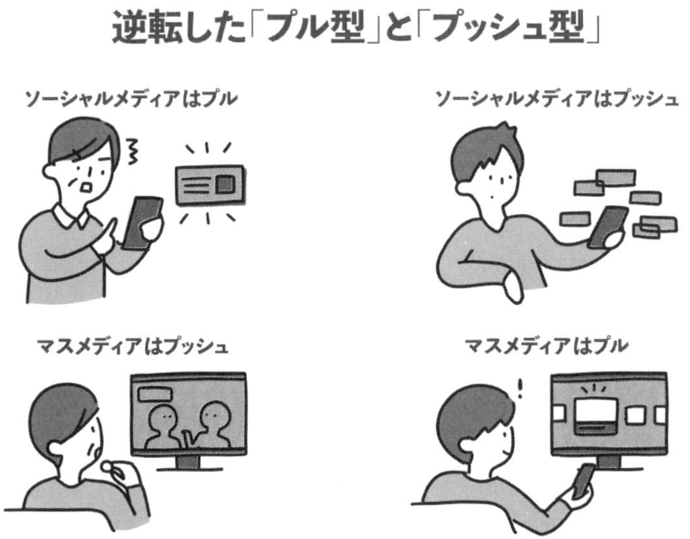

図表7-4　プル型とプッシュ型
出所：久保田麻美/野々山正章

スマートフォンから次々と大量の情報が流れるようになり、3-6の調査でも明らかになったように、以前のテレビのような接触スタイル（プッシュ型）が増えていったのです。流れる情報を受け流すのは、フェイクニュースの研究でも見られました（注7-5）。調査に対し「フェイクニュースを見た」という大学生は、スマートフォンを操作して自分が接触したフェイクニュースを探してくれたのですが、結局該当するものを見つけられませんでした。スマートフォンからやってくるニュースや情報は「車から見える風景のようにただ流れていくだけ」で、何となく見たというのです。その大学生は、フェイクニュースのことを流し見して、信じてはいませんでした。

プル型・プッシュ型のメディア理解のねじれ現象は、情報やニュースは能動的であると考えている人たちにも大きな問題をもたらしています。ソーシャルメディアに広がる不確実な情報をうのみにするのは従来若者といわれてきましたが、実は中高年であることが明らかになってきています。不確実な情報を発信するブログにあおられて弁護士の懲戒請求を行い、その弁護士に訴えられている人たちや、愛知県の芸術イベントである「あいちトリエンナーレ」に電話で抗議をしたのも、中高年であることが報道されています。

これは、スマートフォンやタブレットを使うようになった中高年が、これまでの能動的な情報接触のスタイルを実施したことにより、ソーシャルメディアにマスメディアにないニュースを「発見」して信じてしまったと説明できます。不確実な情報を拡散させているサイトやアカウントは「マスメディアは報じない」と書いてあることが多く、能動的な発見と納得を促しています。アルゴリズムの働きには気付かず、自分の意見に近い誰がつくったか分からない不確実な情報に接触してしまうことで、フェイクニュースにだまされてしまう構図が見えてきます。

7-6 まとめ：「みんな」と時間の関係

「国民とはイメージとして心に描かれた想像の政治共同体である」。これは、政治学者ベネディクト・アンダーソンが『想像の共同体―ナショナリズムの起源と流行』(注7-6)という本で打ち出した、印刷技術の発展が、国民をつくり出す役割を果たしたという説です。

近代以前の「共同体」は家族などのネットワークでしたが、アンダーソンは見知らぬ人でも同じ共同体の構成員であり得ると考えました。重要な要因の一つに新聞の片隅にある日付と言葉があります。ある日付が印刷された新聞は、翌日には古新聞となり消費されてしまいます。アンダーソンは、「新聞の読者は、彼の新聞と寸分違わぬ複製が、地下鉄や、床屋や、隣近所で消費されるのを見て、想像世界が日常生活に見えぬかたちで根ざしていることを絶えず保証される」と書き記しています。つまり、自分が読んでいる新聞を他人も同時に読み、同じ情報に接していると疑わない状況が、共同体を生み出していると言うのです。

同じ情報を、同時に、多くの人々に伝達するマスメディアは、ラジオやテレビが発明され「いま」をマスメディアが提示し、「みんな」というつながりを担保するようになります。朝のテレビ番組のコーナーが切り替わったときに家を出て、いつもの電車に乗り込む、学校や会社が時間通り始まる、という日常は、マスメディアが共有する時間によって成立しているとも言えるでしょう。

インターネットの時代になっても、ポータルサイトや検索エンジンが示すのはあくまで過去で、そこには「いま」はありませんでした。リアルタイム性が高いソーシャルメディアが登場したことにより（随分前に、

Twitterで「○○なう」という言葉がはやり、2010年には流行語大賞のトップ10に選ばれたのです)、インターネットからの情報に「いま」を感じるようになりました。

しかしながら、ソーシャルメディアが過去の投稿をタイムラインに混ぜるようになり「いま」は曖昧になっていきます。また、各社が利用者のつながりや気持ちよさを重視したアルゴリズムにより情報を最適化した結果、不特定多数の「みんな」は失われ、家族や友人に「みんな」が使われるようになっています。情報接触が増えていけばいくほど、不特定多数の「みんな」や社会的な「いま」が失われ、近代以前の共同体に戻るのかもしれません。

第8章

情報過多社会を超えていく

8-1 デザイン思考で分からないを受け止める

「はじめに」で、紹介した大学生Bの欲求をどのように理解・整理すればいいのか分からず、試行錯誤を繰り返していたと紹介しました。新しい情報接触スタイルを見つけるプロセスで参考にしたのが、ビジネスの現場でも知られるようになった「デザイン思考」です。これは、新たな社会の動きを捉えようとするも、そのスタート地点が分からないときに有効な方法です。

デザイン思考の中心的な考え方は、2007年に米国スタンフォード大学のd.school（デザインスクール）で提唱された5段階プロセスです(注8-1)。「Emphasize（共感）」「Define（定義）」「Ideate（創造）」「Prototype（試作）」「Test（検証）」の５つのステップで、基本的にはこの順に進みます。このうち、最も難しく、最も誤解されているのが、最初のステップ「Emphasize（共感）」だと思います。

■ デザイン思考を誤解している日本のビジネスパーソン

「Emphasize（共感）」はターゲットユーザーが、どのような価値観で行動しているかを見いだし、人々を理解するステップとされています。

デザイン思考を実践する場合、現場に出て実際の利用者の声を聞くなど、ターゲットユーザーの調査・分析に熱心に取り組んでいます。実は、その熱心さ故に、「Emphasize（共感）」に対する誤解が生じていると考えています。それは、「ターゲットユーザーのことが理解できる」という前提です。

デザイン思考が生まれた米国西海岸は、世界中から多様な人々が集まり、文化や習慣が異なる人たちが混在しています。もちろんビジネスパーソンもさまざまな文化背景を持つ人の集まりで、また、そうした人たちが手掛ける案件は世界中の国々を相手にしています。案件の対象となる利用者を理解することが困難なのはもちろん、一緒に働くチームメンバー同士であっても、相手の背景を理解することは困難です。そこで前提となるのは、「相手のことは理解できないけれど、それぞれの行動や考えには何らかの理由や背景があるから、行動や考えはリスペクトする」ということです。つまり、「分からないことを受け止める」ことが重要なのです。

一方で私たち日本人は、総中流社会と言われる中で育ち、国民は均質な義務教育を経験してきました。「ハイコンテクスト」な社会、つまり、コミュニケーションする際の価値観や考え方が近いため、「言わなくても理解できる」社会なのです。「言わなくてもよい」ことを美徳とする人もいます。このようなハイコンテクストな理解を前提とした製品開発は、国内ユーザー向けの製品づくりでは大きく寄与してきたのですが、グローバルでは通用しにくいです。

よくある例を示しましょう。新商品開発の会議にて、「若手チームで考えた案です」「女性チームで考えました」「ベンチャー企業とのコラボレーションで生み出した案です」とプレゼンしたとき、責任ある立場の人（得てして一定の経験を重ねた人）は「俺には分からないなぁ」という反応をしがちです。プレゼンした側からすると「出た、分からないおじさん！」と言いたくなります。そもそも「理解できる」という前提なので、理解できないものを却下してしまうのです。「分かっていないが、『分からない』と言うのが恥ずかしいので、分かったように振る舞う」ケースもあります。

■スクラップ＆ビルドでインサイトを発見する

本書は8人で書いていますので、たびたびミーティングを開きました。その際、「自分の価値観で判断しない」「分からないことは分からないと認める」、その上で、「理解しようと努める」ようにしてきました。

相手の反応をリスペクトした上で、理解しようと努める際に助けになるのが、デザイン思考のプロトタイプです。第６章では、「ここで用いているプロトタイプはちょっとした工夫がされています。狙いは、アイデアを形にするプロトタイプではなく、インサイトの発見です」と書きました。デザイン思考の５つのステップでは、プロトタイプは４番目のステップに位置付けられています。後半にありますが、いざプロトタイプをしてみると「自分たちがつくりたかったモノに改めて気付く」ことがあります。だからこそ、デザイン思考では、プロトタイプの完成度はあまり気にせず、一つのプロトタイプをつくることに長い時間をかけず、次々にプロトタイプをつくり直し、スクラップ＆ビルドを繰り返すことが推奨されているのです。こうして繰り返してゆくことで、今まで当たり前に生活していく中で気付くことができなかった、ニュースや情報と私の新しい関係の解釈や、着眼点を発見することができ『インサイトの発見』に近づくことができます。

アイデアがまとまってない、話したい言葉がなかなか出てこない状態であっても、とにかくアイデアをどんな方法でもよいのでつくってみる。つくったモノを見て、気付き、またつくったモノから学びながらつくる、を繰り返すうちに自覚的になっていきます。本書の第6章では、ほとんど経験のない大学生がサービスづくりに挑戦しました。デザイン思考の４番目のステップでそうした状態になった場合、プロトタイプをつくった後でヒアリングし、ステップ３のアイデアを確認しながら、ステップ

1の「共感」を探っていったのです。その時にヒントになるのは、(1)相互インタビューと、(2) カスタマー・ジャーニー・マップで書き出したポストイットです。ポストイットを確認しながら「これはどういう意味」「どういう意図があるのか」と確認しながら進めていきました。

デザイン思考の旗手の一人IDEOのティム・ブラウンも著書『デザイン思考が世界を変える イノベーションを導く新しい考え方』(注8-2) でも指摘していますが、デザイン思考も決して順序の決まった直線的なプロセスではなく、必要に応じてさまざまな方法の中のつながりを意識しながらプロセスを行き来します。そうして複雑な問題の中にインサイトを発見することができるのです。

■ 大学生対象のアイデアソンは「忖度」がまん延

企業によっては、アイデアソンやハッカソンなどを実施し、大学生のアイデアから新サービスや新製品をつくろうとしているようですが、「サービス設計」だけに注目すると見誤ってしまいます。この本で繰り返し述べているように、大学生と40代50代のビジネスパーソンでは触れている情報が異なるので、大学生たちは「自分のアイデアをストレートに出して話が通じない」と感じ、その会社が求めているアイデアを「忖度」して出すことがあります。

ここまで理解して、大学で教えている筆者自身、やや怖くなりました。授業などで「面白そうだなと」と思うアイデアは、実は教員にとって最適化したものだったかもしれないからです。

実際、大学生たちに聞いてみると「企業が求めているようなアイデアを言えば褒めてくれる」「大人はちょろい」という本音と思われる意見があり、「本当に自分の考えを言ったら、就活で落ちる」という声もありました。忖度は、分からないことを嫌う企業への大学生なりの対応策と言えるでしょう。もしかしたら、企業の顧客アンケートや社内企画会議でもこのようなことが起きているかもしれません。だからこそ、「分からないを受け止める」必要があるのです。

8-2 製造業はメディア企業になる

ここからは、情報過多社会でどう変化するのか、近未来予想、半歩先の世界を考えてみます。

■ 製造業にみられる「残念な設計」

まずは、日本企業の中でも世界に大きな影響を持つ製造業です。はっきりと言えることは、「製造業はメディア企業になる」です。

最近、製造業の方々から「うちの製品もIoT化したいんですよね」「アプリをつくりたいんですよね」といった相談を受けることが増えてきました。5GやIoTの流れを捉えようとしているからだと思われます。自動車産業で特に注目を集めているのは「MaaS」(Mobility as a Service)です。移動するときに鉄道やタクシー、シェアサイクルなど、異なる手段をスムーズに選んで利用できる、次世代サービスとされています。トヨタは自動運転やMaaS実験のために、富士山の裾野に巨大都市を計画しています。

MaaSにしてもIoTにしても、「情報」と関わることは避けられません。ただ、相談を聞いていると、残念なアプリやIoTサービスがあります。

例えば、「ネット回線を使ったリモコン・スマホアプリをつくろうとしている」といった話がありました。リモコンが無かった製品に「ネット回線を使ったリモコン」アプリを導入したり、すでにリモコンがある製品に対してスマホからも操作できるようにしたりする企画です。この企画には、新しい体験がありません。わざわざスマホを使う意味が感じられず、「スマホとつながっている」だけのことで、利用者にとってまったく楽になっておらず、なんだか居心地の悪い設計になってしまっています。

このような居心地の悪い設計をしてしまう背景には、日本の製造業の成功体験があります。2000年代の初頭まで、モノづくりで重視されたのは「モノのカタチのデザイン」でした。「新しい機能をいかにスムーズに利用できるか」「ボタンをどのように配置して操作するか」といったように、機能を主眼にデザインされてきました。「花粉症に対応」「マイナスイオンでより空気をキレイに」など、ニーズに合わせた機能をプラスすることで、または、細分化したニーズに応えることで、利便性を高めることが価値だったのです。

■ iPhoneの登場でデザインは「機能」から「体験」に

それが、2007年のiPhoneの発売前後から変わります。機能を提供するだけでは利用者の体験を満たすことはできなくなり、「利用者の体験の設計」へと移ってきました。利用者が欲する「価値」としてデザインを考えるサービスデザインという考え方が生まれてきました。「利用者の体験の設計」となると、機能ではなく、人それぞれが求める価値の存在自体を考えることが求められます。しかし、製造業が提案するのは「しゃべるモノ」とか、「あらゆる製品にディスプレイやスピーカーをつける」というアイデアで、機能追加の範疇を脱しておらず、利用者の「価値」が抜け落ちているのです。

人々は、家電製品のある家の中を歩き回ったり、自動車を利用したりしていますが、家電や自動車といったデバイス単位で情報を提示するディスプレイ付けても、ただでさえ情報が多い状況では見向きもされないでしょう。常に保持しているスマートフォンだけでも情報過多の状態です。新たな情報を増やしても、生活の中で利用価値がなければ簡単にスルーされてしまいます。無理に伝えようとすると、騒々しいメディア環境がつくられてしまいます。

■ モノは人々の生活の「パートナー」に

この状況は、ユーザーが何かをするときの「タッチポイントにモノが立ち会う時代」の到来とも言えます。IoT化することにより、その製品だけに閉じた製品体験ではなく、その製品を含む活動全体のメディア体験に関われるチャンスがやってきているのです。例えば、洗濯機なら衣類を洗うだけでなく、ファッション、古着の売買や衣類の収納など日々の衣類との生活のメディア体験のすべてに関われるチャンスがありますし、自動車であれば乗っている時だけでなく、移動に関わるメディア体験すべてに関われるチャンスがあります。

言い換えれば、製品は人々の生活のある側面での「パートナー」になっていくのだと思います。自動車で開発が進む自動運転は、「(運転を) あなたの代わりにやってあげる」というパートナーの一つの側面にすぎません。ユーザーが使って行く中で、ユーザーの思考や趣向を覚えて学習し、先回りすることもできるでしょう。未来像で言えば、映画『スターウォーズ』に登場するロボットや、アイアンマンのジャービス、ドラえもんのようなSFの世界の“相棒”からヒントが得られるでしょう。

重要なのはコミュニケーションとして捉えることです。ドラマや漫画で想像されたモノと人の関係性は、「必要なときに操作する」のではなく、日常的に対話し、必要になったらさまざまな入力・出力で補佐しながら、人を中心としたコミュニケーションとして描かれ、登場人物とともに困難を乗り越えています。つまり、モノは人とコミュニケーションすることが必要で、そういう意味で、「製造業はメディア企業になる」というわけです。

人間を中心としたメディア体験として製品を再設計する取り組みを進めていけば、モノは人々の課題を乗り越えるパートナーとなる社会がやってくるでしょう。

8-3 Information OutからLife Inへ

製造業の次は、メディア企業と広告会社です。

■ Information outの発想が根深い

マーケティングの基本概念に「Product out、Market in」があります。昨今この2つの概念は、対比または二元論的に捉えるのではなく、どちらも顧客を中心に据えたアプローチの違いであるといわれることも多いですが、ことメディア業界では、情報希少時代の「いいもの、面白いものをつくれば見てもらえる、読んでもらえる」というProduct outならぬInformation outの発想がまだまだ根深く残っているのではないでしょうか。

例えば、テレビ番組によっては、出演者と一緒に謎を解き、「この後どうなるんでしょうか」と結論をあとあとへ引っ張っていく趣向を凝らしています。こうした番組は冗長になりがちで、情報量が少なくスマートフォンもない時代ならよかったのかもしれませんが、スマートフォンが常に手元にある状況では、少しでも間延びすれば、すぐにスマートフォンでソーシャルメディアをチェック、あるいはゲームを始められてしまうでしょう。仮にテレビ番組の結論が気になったとしても、ネットで後から確かめればいいわけです。

■ 生活者の気分に寄り添う「Life in」へ

5－7．で鈴木謙介准教授も言及しているように、これまでのメディア満足とは「メディアのコンテンツ自体、つまり中身が面白いかどうかということ」であり、まさにInformation out的発想でした。これからは、「メディアのコンテンツに触れている時間の『価値を高めたい』という」生活者の気持ちに応えるように転換する必要があります。生活者の生活時間、その時の気分や状況に寄り添い、その中で価値を提供する、つまり、情報を「Life in」させていくことが求められるのです。

Life in発想は、5GやIoTが普及する将来を考えたとき、より重要になります。あらゆるモノがネットにつながるIoTの時代は、生活者はあらゆるモノ、あらゆる場所、そしてあらゆる時に企業からの情報（広告）に触れるようになります。これまでのように、企業の伝えたい情報を出していく（Information out）だけでは、単に情報過多を助長するだけです。生活者もそれらの情報を受け取るとは思えません。だから、Life inなのです。

では、企業は自らの情報（≒広告）をどのようにLife inさせ、生活者とつながっていけばいいのでしょうか。一つのアプローチとして、ユーザーが情報に触れてから実際に行動に移すまでを設計する方法があります。テレビやスマートフォンのスクリーンから情報を知らせて終わり、覚えさせて終わりではなく、ネットにつながった自社の製品や自社の接点を使って、情報のインプットから実際の行動にまでつなげる仕組みを設計するということです。

■ 生活行動に直結する情報サービスの登場

例を挙げてお話ししましょう。運動器具と、その器具を使ったレクチャーサービスを提供する米国のスタートアップ企業の商品です。同社の販売するエクササイズ・バイクはインターネットにつながっていて、バイクのハンドル部分のモニターを通じて、定額制の動画レクチャーサービスを提供します。利用者は動画を通して、自宅にいながらトップレベルのインストラクターのレクチャーを受けることができます。

動画サービスは「ストリーミングタイプ」と「リアルタイムタイプ」があります。ストリーミングの動画サービスによって、運動しながら最適な情報が得られる他、リアルタイムの動画サービスによって離れたところでトレーニングする多くの人たちと時間を共有し、一体感とライバル心を醸成させることができます。定期的にストリーミングが配信されることで、日々の運動欲が刺激され、三日坊主になりがちなトレーニングの習慣化も促進されます。

情報に焦点を当てた場合、以前のトレーニング情報は「見るもの」「楽しむもの」が中心でしたが、同社はネットにつながった（＝IoT化された）エクササイズ・バイクとともに提供することで、生活者の「行動」（＝トレーニング）にまでつなげているのです。リアルタイムな動画サービスは、「負けたくない」「もっとやりたい」というモチベーションを喚起させるまでに至っています。情報過多の中であってもトレーニング情報はスルーされず、きちんと人々の生活行動や意識に寄り添い、その行動にまでつながっているLife inの好例と言えるでしょう。

もちろんYouTubeを見ながら自分でトレーニングすることはできますし、トレーニングのアプリもたくさんあります。テレビでもトレーニングの仕方を丁寧に教えてくれるミニ番組が人気を博していますが、これらはすべてテレビやスマホといった既存のスクリーンからの情報です。IoT時代は、生活行動で使う（ネットと接続されている）モノから、関連する情報が流れてくるのです。言いたいことだけを伝えるInformation outではなく、そのモノを使う時の生活行動・意識に則した、つまりLife inした情報設計が必要になります。

■ 未来のリビング体験から得られた結果

博報堂DYメディアパートナーズメディア環境研究所が2020年1月に実施したIoT時代の情報環境をシミュレーションした「ゴーグルで覗くみらい情報生活調査」と名付けた調査の結果を紹介します。この調査は「未来のリビング」という設定で、対象者の方々に「VR」（仮想現実）のゴーグルを装着してもらい、椅子や鏡といった家の中によくある「モノ」が自分に話しかけてくる環境を体験してもらい、その感想を聞くというものです。対象者は、都内に住む20代から40代の30人の男女で、スマートスピーカーを普段利用されている、モノとのコミュニケーションについて、一般の人よりも少しだけ慣れている人たちを選びました。

VRのゴーグルをつけて、バーチャルなリビングをうろうろしていると、モノがいろいろと話しかけてくるという、10分間くらいの体験をしてもらいました。未来のリビング環境では、次のようなことが起こります。

・椅子に座るだけで体温、血圧、体重や体脂肪が測定され、椅子が「順調に体脂肪が減少してますよ」「より体脂肪を減らすようなお茶があるのですが、サンプル版を試してみますか」と提案してくれる。
・鏡をのぞき込むと、鏡がその日の肌の様子をチェックしてくれて、いまの肌の調子にあった試供品を提案してくれる。
・髪をブラッシングすると、ブラシが髪の状態を教えてくれる。
・歯を磨いている間に、歯ブラシが今日のニュースを3分で紹介してくれる。
・冷蔵庫の前に立つと、欠品しそうな食品を冷蔵庫が教えてくれる。
・今日の外出予定を確認した上で、外出先の近くであるイベントをリビングのタブレットが教えてくれる。

調査実施前は、「いろいろなモノがいちいち話しかけてくるので、うっとうしいと思うのではないか」と心配していましたが、実際に調査を実施してみると、対象者全員が今回の体験に関して「魅力を感じる」または「やや魅力を感じる」と答えました。

その理由を聞いたところ、7割の方が「自分でやらなくても、必要なことを先回りしてくれて楽できそう」と答えたのです。つまり、自分の体脂肪や肌状態、スケジュールなどを理解した上での商品やサンプルの案内は、押し付けの「広告」ではなく、魅力的な「提案」として、受け取られたということです。自分のデータを基にした提案であれば、「自分のことを理解してくれて、見守ってくれているような感じがする」といった感想もありました（こうしたサービスは個人情報を提供することになるので、しっかりとしたセキュリティの確保が必須条件になっていくでしょう）。

この調査結果からも、情報過多時代、さらにそれが加速するIoT時代においては、メディア・コンテンツでも広告でも、企業から発信される情報は、すべからく人々の生活行動を促進する「提案」になっていかざるを得ないと思います。情報を受け取った後の行動との連携も含め、統合的な情報行動デザインが企業には求められるようになるでしょう。

8-4 時間を取り戻すマスメディアが選ばれる

前項でもメディアを取り上げましたが、ここでは特にマスメディアについて深掘りします。マスメディアは、情報過多社会でどのような役割を果たせるのでしょうか。

■ 情報過多ではハズレを前提に行動する

コロナウイルスの感染対策で在宅ワークをするビジネスパーソンが増えました。通勤せずに自宅でパソコンに向かい、メッセンジャーでのやり取りやオンライン会議が続くと、「曜日が分からなくなった」「オンライン会議の連続で時間感覚が乏しい」という声を聞くようになりました。こうした時間のリズムを失っている状況は、本書で紹介してきた大学生たちの悩みと共通しています。

接触するメディアにも変化が起きています。オフィスにはテレビもラジオもありませんでしたが、自宅にいると「たまたま」放送している昼間のワイドショーを見る機会もあるでしょう。総じて「つまらない」と感じているにもかかわらず見てしまっているかもしれません。本書の第4章では、大学生がテレビのザッピングのようにインターネットを流し見し、得るものなく残念な体験をしながらもやめられない状況と似ています。テレビであろうが、スマートフォンであろうが、メディアに常時接続できる状況が加速し、情報過多になると、接触するコンテンツに期待するのをやめ、ハズレを前提に行動するしかなくなってしまうのです。

■時間や空間を再設計するメディア開発を

コロナウイルスの感染が収束しても、在宅ワークやテレワークは以前に比べて増えるでしょう。場所や時間を問わない働き方は、ある程度社会に定着すると考えられます。働き方が変われば、暮らし方も変わります。これまでは暮らすだけだった自宅にビジネスが持ち込まれ、境界が溶けていくのです。働き方と暮らし方が大きく変わる中で、時間や空間を再設計するメディア開発はこれから大きなテーマになるでしょう。

まずは、ラジオです。自宅で仕事をしながら、音楽中心のラジオをインターネット経由（ラジコ）で聞いているという人もいるかもしれません。ラジオは生放送されている場合が多く、時報やニュースが定期的に差し込まれるのでリズムをつくりやすいという特徴があります。

テレビに関しては、例えばワイドショーなど昼間のテレビ番組は、これまでビジネスパーソンを視聴者として想定しておらず、仕事をしながらの「ながら」「すきま」見に適していないと考えられます。働く時間とのリンクは朝と夜のニュースに限られており、日中のビジネスパーソン向けのコンテンツ開発が大きなテーマになるでしょう。

３つ目は、オンデマンドメディアです。生放送で流れるコンテンツはリズムをつくるのには役立っても、ハズレが多くあります。アタリを確実に見たいなら、Netflixや Amazonプライムなどのオンデマンドメディアが選ばれるでしょう。第6章で紹介した大学生のように、食事や散歩といったアクティビティにひも付いて、リズムをつくる視聴が進むでしょう。

さらに、Zoomのようなビデオ会議システムを利用して、同時にオンデマンドコンテンツの視聴をスタートして友達との「リアルタイム」視聴を行う人も登場しています。これなら、オンデマンドメディアでも、テレビの生放送のような同時性を楽しめます。このような、新たなツールを活用して自分たちが工夫する姿は、まさしく生活者によるメディア環境の再設計と言えるでしょう。

生活者は「生放送かオンデマンドのどちらか」ではなく、両方を使い分けたり、他のツールと組み合わせたりして活用していきます。従来のようにマスメディアが時間を押し付けるのではなく、生活者がつくりたい時間とリズムにどう貢献できるかを考える必要があります。

8-5「気付けば、いつも」戦略でつくる安心感

メディアを使ったプロモーションやキャンペーンはどうすればいいのでしょうか。ハズレが多いと認識されている中で、どうやってアタリに持っていけばいいのでしょうか。新たなコンテンツだけでなく、新しい商品やサービスも同様で、一過性の消費ではアタリに持っていくことが難しくなります。そのため、人と話してもいい「安心感」をつくることが大事になります。

■ 複数の異なるメディアからアプローチする

本書では多様な情報を前提にした若者にとって、話題の共有が難しくなっている状況を明らかにしました。遠いニュースからどのように近いところに情報を寄せていきながら、安心して話せる状況を広げていくかが重要です。ヒントになるのは、「2019 エデルマン・トラストバロメーター」のスペシャルレポートです(注8-3)。

このレポートは、世界8カ国を対象にした調査です。一度しか目にしていないブランドメッセージを「信頼する」と答えた消費者は全回答者の13%だったのに対し、6つの異なるチャネルで目にした後には87%が「信頼する」と答えています。最も効果的な信頼獲得の流れは、まずインフルエンサーや知り合いなどで認知を得て、オウンドメディアで拡散することでした。その場合、全回答者の74%もの消費者が、そのメッセージを「信頼する」としています。

ポイントは、インフルエンサーの有無ではなく、たくさんの情報に接している生活者を想定し、異なるメディアから複数回アプローチをする

ということです。注意したいのは、複数の異なるチャネルで情報を伝えるといっても、包囲戦略ではないということです。選んでもらおうと包囲して攻め立てても、そもそも情報が多すぎるし、ハズレが前提なので、スルーされてしまいます。バズらせただけのプロモーションはネタとして消費され、安心して話す状況はつくれません。

ここまでの議論や「Information out からLife inへ」という方向性を考えれば、「ふと気付けば、いつもそのブランドに接している」「付かず離れずに、自然と周りに配置する」ことが大事になります。そして、いつでも引き出せるオンデマンドな状態、気になった時にハズレなく、アタリを引き出せるようにしておくことが重要になります。

もう一つ、エデルマンのレポートでは、ブランドに対する信頼は、地域、年齢、所得にかかわらず、購入を決定する際の必須事項となっていると指摘しています。「製品体験」「顧客体験」だけでなく、ブランドを通して自分の価値観を表現する「社会に与える影響」が加わると、「率先して購入する」などと回答した消費者の割合が29ポイントも上昇することを明らかにしています。企業は、ただ良い製品を体験してもらうだけでなく、社会的な課題や価値について考えていく必要があると言えるでしょう。

■ 信頼をつなぐオウンドメディアの役割

エデルマンのレポートにも触れられているオウンドメディアは、重要な役割を持つようになります。コロナウイルスの感染拡大により、噂やデマなどの大量の情報が反乱する「インフォデミック」と呼ばれる現象が起きています。不確実な情報が拡大する時代は、面白さや楽しさよりも、正確な情報を生活者に届ける必要があります。

大学生のニュース接触調査の結果を見ると、企業や団体が自ら運営するオウンドメディアはすでにニュースの新たな担い手になっています。第4章で調査した大学生は、家計簿サービスのマネーフォワード社が運営するマネープラス、中古車検索サイトが運営するCarMe、ベイスターズ公式サイトなどに接触していました。オウンドメディアはファンが直接接触するだけでなく、溢れる情報の参照元としても位置付けることができます。

正確な情報を届けるオウンドメディアが、信頼を失うようなことをすると、価値が低下してしまいます。例えば、ステルスマーケティングと呼ばれる手法を使って、広告であることを隠して包囲しようとすると、ハズレを拡大するだけになります。また、フェイクニュースや低品質な情報を扱えば、ブランド力が低下してしまいます。

「ブランドセーフティ」という言葉があります。広告がフェイクニュースサイトや差別的な言説を掲載するヘイトサイトといった不適切なサイトに掲載されることで、広告主である企業ブランドが毀損する問題です。欧米では、フェイクニュースサイトやYouTubeの差別的な動画に表示されていた広告が問題となり、BMWなどの大手企業が広告を取りやめる動きがあります。国内でもヘイトサイトにトヨタやキヤノンなどの日本の大企業の広告が表示されていました。

ブランドを通して自分の価値観を表現する「社会に与える影響」が重要とすれば、ブランドが社会的に批判されるような手法を採れば生活者が離れていくのは当然です。ソーシャルメディア、オウンドメディア、ネット広告、テレビCMなど、企業側が使えるツールが増えているからこそ、品質のコントロールに気をつけなければなりません。

■ 豪雨の中でアタリの確率を上げる方法

気になった時に、アタリを引き出せるようにしておくためには、参照元となるコンテンツにできるだけ確率よくたどり着けるようにしておきたいところです。デジタルの最大の特徴はコピーが簡単なことです。フェイクニュースの手法を採り入れてコンテンツ制作はさらに複製され続けていますが、コピーし続けたことにより、情報が溢れかえってしまいました。コピーは接触回数を増やすのに有効なので一概にダメというわけではありませんが、正確な情報にたどり着けなければ不安になってしまいます。

そこで、オリジナルにリンクをつけるアイデアはどうでしょう。例えば、芸能人のラジオやテレビでの発言を切り取った記事が溢れていますが、元の番組を確認できるように、見逃し視聴のTVer（ティーバー）やラジコへのリンクを掲載するのです。企業のオウンドメディアも、リンクを張ってもらいやすい工夫をしておきましょう。

さらに、参照元へのリンクがないニュース記事はポータルサイトや検索エンジンの上位に表示しないという方法もあるでしょう。こうしておけば、豪雨の中からまれにあるアタリを見つけたときに、スムーズにオリジナルにたどり着くことができるし、オリジナルコンテンツの価値も保たれるのです。

8-6 メディア化する都市のこれから

本書の冒頭では5Gへの移行やIoTの導入により、さらなる情報過多社会へと移行していくことを示唆しました。このようにあらゆるモノがインターネットに接続されメディア化していく社会を想像してみると、IoT化されるのは、自動車や家電・家具のようなプロダクトにとどまりません。そこに待っているのは、私たちが暮らし働く基盤となるあらゆるインフラがIoT化していく社会、つまり、都市そのものがメディアとなっていく未来と言えるでしょう。

こうした動きは、これまで「スマートシティ」というキーワードとともに、世界的に議論・試行が進められてきました。例えば、Googleの親会社Alphabet傘下であるSidewalk Labsがカナダのトロントにおける新都市群の開発計画を発表するなど、こうしたプロジェクトでは最新のテクノロジーを用いて、エネルギーや資源、移動、セキュリティ、教育、健康など生活のインフラをアップデートしていくことが標榜されています。2020年、日本でもトヨタが静岡県裾野市にてWoven Cityと名付けた実証都市の開発計画を発表しており、この他にもさまざまなプロジェクトが世界各地で進行してきました。

なお、2020年5月上旬現在、Sidewalk Labsはトロントのウォーターフロント地区の開発計画から撤退することが明らかにされました。同社のCEOダニエル・ドクトロフは新型コロナウイルスの世界的な感染拡大により、かつてない経済的な不確実性が生じており、プロジェクトを財政的に成り立たせることができなくなったと語っています。しかし、このプロジェクトへの逆風は感染拡大に端を発するものではありません。

■ イノベーションは相互作用から生まれる

「安心・便利・快適」な社会をうたうスマートシティは、都市における人間中心デザインを推し進めてきた帰結とも言えます。一見、害はなさそうにも見えますが、そこにはある問題が提起されています。

私企業によるプライバシーに関わるデータを専有することになりかねないなどといった指摘も数多くなされていますが、問題はそれだけではありません。都市のサービス・プラットフォーム化を進めていく上で、私たちの生活にはさまざまなソリューションが提供されていくでしょう。それに伴い、都市を生きるあらゆる人は誰かから提供されるサービスを享受するユーザーへと変貌していきます。『MOMENT 01』(注8-4) で田村大が指摘するように、「人類の総ユーザー化」が進行しているのです。しかし私たちは本当に、サービスを享受するだけのユーザーにすぎないのでしょうか。

結論から言えば、答えはNOです。イノベーション研究者のエリック・フォン・ヒッペルは『フリーイノベーション』(注8-5) において、従来の企業中心の供給側と対比した消費者側で起こるイノベーションに着目し、その担い手をフリーイノベーターと位置付けています。フォン・ヒッペルが例に挙げるように、世界初の飛行機からパーソナルコンピューター、パーソナル3Dプリンター、マウンテンバイクに至るまで、現代の私たちの生活はフリーイノベーターたちが企業に先んじて開拓してきたものの上に成り立っているのです。

フォン・ヒッペルは、消費者側と供給側の相互作用によってこそイノベーションは生まれるとして、それをモデルに示しました（**図表8-1**）。このモデルに沿って考えるならば、人間は一般にユーザーと呼ばれるよ

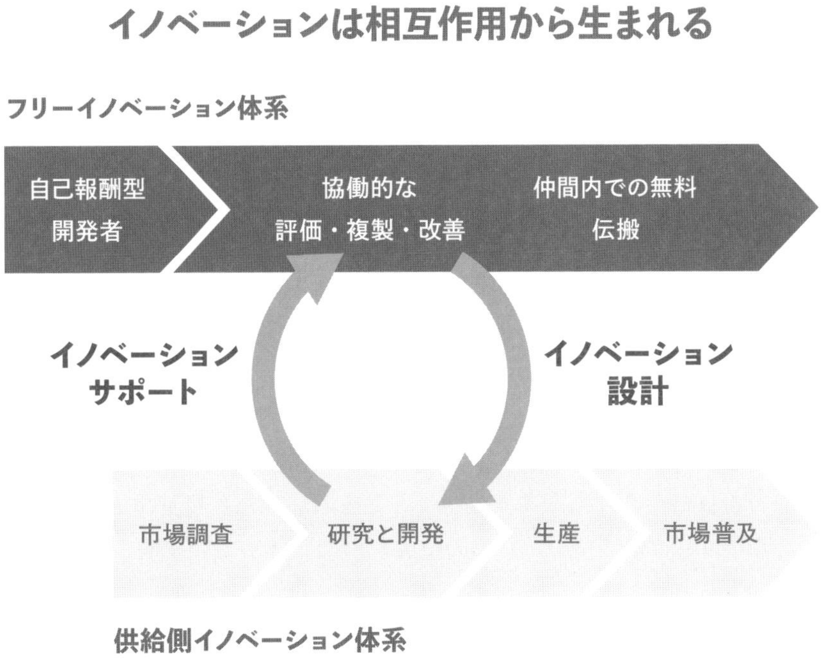

図表8-1　フリーイノベーション体系と供給側イノベーション体系
出所：『フリーイノベーション』（注8-5）

うに、自分自身の暮らしを充足させるために消費するだけの存在ではありません。私たち自身が都市とそこに生まれる文化の担い手なのです。そして、都市を取り巻く情報や環境は、この都市とその文化をつくり出す人たち支援のためにこそあるべきでしょう。

■ 子どもたちがスマホとARで都市をつくる

　では具体的にどのように支援することが可能なのでしょうか。ここでは世界の先駆的なプロジェクト2つを紹介します。

一つはUN HABITATとEricssonそして、先駆的な都市プロジェクトを各地で展開するARUPが、2017年に共同で実施したプロジェクト「Mixed Reality Cities」です。このプロジェクトでは､子どもたちがレーザーでスキャンした自分たちの街を「マインクラフト」というゲームで再現します。そして、街に欲しい建物やインフラをゲームの世界でデザインし、スマートフォンとAR技術を使って現実の空間に投影していきます。子どもたちにとって身近なゲームとARを用いた、いわば市民自身による都市のプロトタイピングです（**図表8-2**）。

こうしたプロトタイプの実現可能性についてはさらなる議論が必要でしょうが、元ARUPのダン・ヒルは「行政や政策決定者に対して提案できる力が自分たちにもある」ということを若い人たち自身が実感できたことこそが、このプロジェクトの根幹だったと語っています。

実際、「Mixed Reality Cities」の動画（注8-6）を見てみると、自分たちのつくった建造物が街にインストールされ、街に変化を及ぼす体験をした子どもたちの驚きと高揚感が伝わってきます。街のインフラをプランニングしていくプロセス自体が、大きく変化していくことを示唆しています。

■「スマートシティ」から「スマートシチズン」へ

もう一つのプロジェクトは、欧州委員会が主導し、分散型の市民主権のデータエコシステムの形成を目指す「DECODE」（2017年～）です。

DECODEではそのパイロットプロジェクトの一つとして、小型の環境センシングデバイスで、市民自身が気温や湿度、騒音、大気の状態などのパブリックデータを収集し、そのデータを誰にどのような条件で

図表8-2　Mixed Reality Cities（2017）

出所：©Ericsson

シェアするのか、市民が選択できるプラットフォームを用いた実証実験が行われました。これらは個人のプライバシーをいかに市民自身が管理していくのかにとどまらず、環境データを自ら収集することで、都市の現状を理解し、それらをベースにした政策の策定や意思決定に関わっていくことを意図したプロジェクトです。

舞台となった都市の一つ、バルセロナ市で活動するプレイヤーたちが口々に語るのが、「スマートシティ」から「スマートシチズン」への移行です。そこには都市をつくり出す主体は都市に生きる市民自身であるという信念が表れています。あらゆるテクノロジーは、そこに生きる市民が活動し、ありたい都市の姿の実現を支援するためにこそ使われるべきなのです。

こうした都市ではスマートシティのように技術主導で人間性を損なうのではなく、本当の意味で都市とそのインフラを人間中心へと変えていくことを目指しています。そして、新たなシティメイキングにおいては、市民が中心となりながら、インフラを担う企業や自治体とともに情報や技術を相互にやり取りしながら、都市のありたい姿を模索していくことが必要不可欠なのです。

おわりに

■情報過多社会は生活者の主観によるところが大きい

この本は、今の社会が情報過多社会であるという認識からスタートしました。確認してきた通り、メディア接触時間が400分を超え、8割以上の人が「情報が多すぎると思う」と答える今日の社会は、実際その名にふさわしい社会でしょう。しかし、当然ですが、情報量がどのレベルを超えたら情報過多社会になるのか、その客観的な線引きがあるわけではありません（もちろん、何かしらの基準を設定して、事後的に線引きをつくることは可能ですが）。つまり、情報過多社会であるかどうかは、実のところ、それぞれの生活者の主観によるところも大きいのです。実際、どれだけ多くの情報に日々触れていても、その情報接触が全体として「実り」のあるものになっていれば、それは必ずしも情報過多とは感じられないでしょう。

■「ズレ」は誰もが知る当たり前の常識になってほしい

このように考えるなら、本書で示してきた、情報への意識や情報接触スタイルをめぐるさまざまな「ズレ」は、結局のところ、それぞれの生活者が、自分の情報生活を実りあるものにしようとする中で、結果的に生まれてしまった「ズレ」と考えることができるかもしれません。例えば、本書の冒頭で、「情報を的確に整理するサービスを欲しがるビジネスパーソン」と「友達と情報を共有するサービスを欲しがる大学生」の「ズレ」の例を示しました。その「ズレ」は、両者の間に横たわる、決して埋めることのできない溝といった類のものではおそらくありません。

それはむしろ、「ビジネスパーソン」と「大学生」のどちらもが、それぞれの情報生活をそれぞれに実りあるものにしようとするときに生じるアプローチの違いにすぎないのです。

これまで散々「ズレ」を強調しておきながら、最後になぜこのようなことを言うのか、いぶかしく思われる方もいるかもしれません。

本書が「ズレ」を強調してきたのは、その「ズレ」に大げさに驚いてほしいからでも、その「ズレ」を世代ネタの新たなレパートリーに加えてほしいからでもありません。期待しているのはむしろ、本書で示してきたさまざまな「ズレ」の存在が、誰もが知る当たり前の常識として共有されるようになり、そうした「ズレ」があることを織り込んだ上で、さまざまな情報が丁寧に届けられていくような状況です。これは、せっかくつくったコンテンツを効率的に発信するという意味でも重要ですが、目の前の情報過多社会を、少しでもマシな情報過多社会にしていく上でも重要なことのはずです。

■ 利用者の満足・不満足はシェアされない

しかしながら、スマートフォンやインターネットといった、今日主役の情報技術は、こうした「ズレ」の共有が起こりにくい技術です。

理由の一つは、それらが完全なパーソナルメディアであるが故に、他人がそれをどのように使っているのかがなかなか見えないことです。もちろん、家を一歩出ればスマートフォンを使っている人はたくさんいます（家族のいる方は、家の中でも同じかもしれません）が、小さなスクリーンに目を向け、親指をせわしなく動かしている彼／彼女が、そうした情報接触の積み重ねの中で、どのような満足、あるいはどのような不満を感じているのか、その全体像はほとんど分かりません。それは多くの場合、徹頭徹尾個人的な経験で、ネット上であらゆる情報がシェアされるのと対照的に、ほとんどシェアされることがないからです。

それでも何とかやっていけるのが、今日の情報技術のもう一つの特徴だと言えるかもしれません。少しでも満足を感じたなら、隣の人とそれを共有するより、1人でどこまでも掘っていけるのがウェブの世界ですし、逆に不満を感じたときには、それを周囲に漏らすまでもなく、即座にそこから離脱できてしまうのもウェブの世界です。そして、そうした個人の選択の繰り返しとして形づくられていく私たちの情報生活のあり方は、選択を繰り返せば繰り返すほど、より個人的なものになり、パーソナライズを促進するアルゴリズムはそれを支援するでしょう。

だとすれば、そこで起きるのは、私たちそれぞれが、互いに「ズレ」たまま、その「ズレ」を毎日、毎回の個人的選択によって、どんどん深化させていくプロセスです。「ズレ」は共有されることも、常識化されることもなく、ぼんやりとした不透明性として沈殿していくわけです。

■ 半透明の情報環境の構築に役立つ

もちろん、それで良い、という割り切りは十分あり得ます。「ズレ」がそれぞれの個人の環境における、それぞれの自由な選択によるものだとすれば、リベラルな社会でそれをストップすることは難しいでしょうし、そもそも望ましいこととも思えないからです。

しかし、目の前にあるウェブやスマートフォンによる情報環境が、100％うまく回っているわけではないとすれば、互いの「ズレ」をよく理解することは、そこにあるさまざまな問題を解決する有効な道筋になりうるでしょう。

互いの「ズレ」をなくすことを目指す必要はありません。お互いに「ズレ」たままでいる自由をキープしながら、しかし、自分とは「ズレ」ているあの人に的確にメッセージを伝え、コミュニケートするには、どうすればよいかを考える。「ズレ」の共有は、そのような形で、完全に不透明でも、完全に透明でもない、いわば半透明の情報環境の構築に役立つはずです。本書はまずは、そのためのささやかな第1歩として書かれています。

■ 謝辞

このような第1歩を進めるにあたり、最も貢献してくれたのは法政大学社会学部、京都芸術大学の学生たちです。調査に、分析に、デザインにと活躍してくれました。法政大学大学院メディア環境設計研究所の研究会に参加して議論を深めてくれた皆さん、そして、発表の場を与えてくれた日経BPに感謝します。

そして、宣伝のようで恐縮ですが、私たちは少しずつ2歩目も考え始めています。本書では、調査データからさまざまな「ズレ」を示すことに主眼を置きましたが、後半では、そうした「ズレ」の中で「メディア生活を再設計」する人たちの事例や、大学生のプロトタイピングの活動も紹介しました。

ここでの言い方をすれば、それらはいずれも、さまざまな「ズレ」の中で、自らの情報生活を「実り」あるものにしていくための具体的な方法ということになるでしょう。そして、そうした具体的な方法は、本書で紹介したもの以外にもさまざまなものがあり、現状では、それもおそらく、なかなか共有されることのない、個人的なものとして潜在化してしまっています。第2歩では、そうした事例を体系的に収集し、いわば共同的・集合的なメディア・リテラシーを構築していくためのプロジェクトにしたいと考えています。またお付き合いいただければ幸いです。

注

第1章

本章の1-2．から1-6．は、博報堂ＤＹメディアパートナーズメディア環境研究所主催「メディア生活フォーラム2019 新しいメディア満足のつくり方」第1部「接触400分時代のメディア意識と行動」の新美妙子上席研究員のプレゼンテーションより作成した。https://mekanken.com/cms/wp-content/uploads/2019/07/a12dec2f52a805f3578c3d64fc93f449.pdf

注1-1「メディア定点」の1日当たりのメディア総接触時間は、各メディアの総接触時間を聴取し、それの加重平均値を全メディア分足しあげた延べ時間。「テレビを見ながらスマホを触る」などのながら接触はそれぞれの数値を足しあげている。

注1-2 保髙隆之，2018，「情報過多時代の人々のメディア選択～『情報とメディア利用』世論調査の結果から～」『放送研究と調査』68(12): 20-45.

注1-3 博報堂ＤＹメディアパートナーズメディア環境研究所主催「メディア生活フォーラム2019 新しいメディア満足のつくり方」のプレゼンテーションスライドより。

注1-4 吉藤昌代，渡辺洋子，2020，「若年層のスマートフォンによるメディア利用行動と利用意識～『メディア利用の生活時間調査2018』から②～」『放送研究と調査』70(1): 26-45.同調査では、「スマートフォン・携帯電話でSNSを利用する」「パソコン・タブレット端末でSNSを利用する」という項目で記入してもらい、それらを合算して「SNS」の利用率を算出している。本文では、このSNSをソーシャルメディアと記載している。調査は月曜と日曜に行っており、月曜のデータを平日とみなしている。

第2章

NHK放送文化研究所の調査は「SNS」で実施しているが、本章では「ソーシャルメディア」と記載している。

注2-1 保髙隆之，2018，「情報過多時代の人々のメディア選択～『情報とメディア利用』世論調査の結果から～」『放送研究と調査』68(12): 20-45.

注2-2 河村誠，2020，「ユーザーから見た新しい放送・通信サービス～2019年11月メディア利用動向調査の結果から～」『放送研究と調査』70(7):

注2-3 NHK放送文化研究所が2018年2月に実施したウェブ調査。調査概要は、2018年に実施した文研フォーラムのサイト「C.大学生たちと考える“テレビ”の未来」を参照。
http://www.nhk.or.jp/bunken/forum/2018/docs.html

注2-4 NHK放送文化研究所が2018年9月に実施したニュース番組に関する調査から。なお、大学生への取材に関しては、上智大学文学部の渡邊久哲教授、武蔵大学社会学部の山下玲子教授、東京大学大学院情報学環の丹羽美之准教授に多大なご協力をいただいた(肩書は取材当時のもの)。

第3章

NHK放送文化研究所の調査は「SNS」で実施しているが、本章では「ソーシャルメディア」と記載している。

注3-1 総務省「平成30年度情報通信メディアの利用時間と情報行動に関する調査報告書」

注3-2 渡辺洋子，2019，「SNSを情報ツールとして使う若者たち～『情

報とメディア利用』世論調査の結果から②～」『放送研究と調査』69 (5) : 38-56.

注3-3 NHK放送文化研究所が2012年11月に実施した「デジタル時代の新しいテレビ視聴調査」の結果を2018年6月に実施した「情報とメディア利用」世論調査と並べた。

注3-4 Twitterのタイムラインについて
https://help.twitter.com/ja/using-twitter/twitter-timeline

注3-5 渡辺洋子，政木みき，河野啓，2019,「ニュースメディアの多様化は政治的態度に違いをもたらすのか～『ニュースメディア接触と政治意識』調査から～」『放送研究と調査』69(6): 2-31.図3-11は男女年層別を年層別に集計したもの。

注3-6 保髙隆之，山本佳則，2019,「ユーザーからみた新しい放送・通信サービス～2018年11月メディア利用動向調査の結果から～」『放送研究と調査』69(7): 36-63.

第4章

注4-1 調査は(公財)電気通信普及財団「ソーシャルメディア環境におけるニュース受容の実態解明とミドルメディアの再デザイン」（代表・土橋臣吾）の助成を受け実施した。詳細は同財団の報告書を参照のこと（https://www.taf.or.jp/files/items/1560/File/土橋臣吾.pdf）。なお、海外メディアのみ接触者を分析対象に含めるか否か、重複接触の集計方法、メディア分類の見直しなどにより数字は異なる部分がある。

注4-2 鈴木万希枝，2012,「若年層のニュース消費に関する研究:情報源接触パタンおよびニュース情報への選択的接触の検討」『哲学』128: 179-206.

注4-3 藤代裕之，2018,「スマートフォン時代における『ニュース』の

研究：大学生のニュース接触調査から」『日経広告研究所報』52 (3)：10-17.

第5章

本章は、博報堂ＤＹメディアパートナーズ メディア環境研究所主催「メディア生活フォーラム2019 新しいメディア満足のつくり方」第1部「接触400分時代のメディア意識と行動」の野田絵美上席研究員のプレゼンテーションより作成した。https://mekanken.com/cms/wp-content/uploads/2019/07/a12dec2f52a805f3578c3d64fc93f449.pdf

注5-1 事前インタビュー「メディア接触・情報行動インタビュー調査」(2018年9月～2019年1月実施)。

注5-2 博報堂DYメディアパートナーズ メディア環境研究所「メディア生活フォーラム 2019新しい「メディア満足」のつくり方」より。

注5-3 博報堂DYメディアパートナーズメディア環境研究所「メディア接触スタイル把握調査」(2018年11月～12月実施) より。

注5-4「メディア生活フォーラム関西2019」パネルディスカッション：メディア接触時間のカギを握る「時間価値」。https://www.hakuhodody-media.co.jp/column_topics/event/seminar_forum/20190905_26406.html

注5-5 松岡真宏, 2014,『時間資本主義の到来: あなたの時間価値はどこまで高められるか?』草思社.

第6章

注6-1 京都芸術大学芸術学部プロダクトデザイン学科の2018年演習授業を受講した学生のプロトタイピングを書籍掲載用に整えている。

第7章

注7-1 イーライ・パリサー（井口耕二訳），2016,『フィルターバブル——インターネットが隠していること』早川文庫.

注7-2 藤代裕之，2017,『ネットメディア覇権戦争 偽ニュースはなぜ生まれたか』光文社.

注7-3 藤代裕之，2012,「ニュースサイトにおけるポータルサイトの役割」『ジャーナル・オブ・グローバル・メディア・スタディーズ』11: 1-9.

注7-4 Vosoughi, Soroush, Deb Roy, and Sinan Aral, 2018, "The spread of true and false news online." Science 359.638: 1146-1151.

注7-5 根本藍，藤代裕之「フェイクニュースに対する若者の接触実態の解明」第41回情報通信学会大会での発表。

注7-6 ベネディクト・アンダーソン（白石隆・白石さや訳），1987,『想像の共同体—ナショナリズムの起源と流行』リブロポート.

第8章

注8-1 デザイン思考研究所「デザイン思考5つのステップ」
https://designthinking.eireneuniversity.org/index.php?dt_text

注8-2 ティム・ブラウン（千葉敏生訳）,2019,『デザイン思考が世界を変える イノベーションを導く新しい考え方（アップデート版）』早川書房.

注8-3 2019 エデルマン・トラストバロメーター
https://www.edelman.jp/research/edelman-trust-barometer-2019

注8-4 リ・パブリック，2019,『MOMENT 01』
https://moment-mag.jp/

注8-5 エリック・フォン・ヒッペル（鷲田祐一監修・訳）,2019,『フリー

イノベーション』白桃書房.図8-1は、同書p.6図1-1を元に作成。

注8-6 Using mixed reality and Minecraft for urban design in Johannesburg https://www.youtube.com/watch?v=f65Gf_immrs

編著者プロフィール

<編　集>

法政大学大学院メディア環境設計研究所

5G、IoTの進展により変化するメディア環境を、人が暮らしやすく、社会的につながることができるように設計することを目的に2019年5月設立した。人間中心に再設計可能なプロトタイピングやワークショップの開発を行っている。

<著　者>

久保田《くぼた》 麻美《あさみ》

株式会社ソフトディバイス

1993年生まれ。九州大学芸術工学部卒。UI/UXデザイナー。著書『はじめてのグラフィックレコーディング』(翔泳社より2020年8月刊行予定)。

本書担当：装丁、図表デザイン・イラスト

白井《しらい》 瞭《りょう》

株式会社リ・パブリック

2016年、メディアラボアムステルダム修了。同年、リ・パブリックに入社、XSCHOOLなどの企画運営に携わる。トランスローカルマガジン『MOMENT』編集長。

本書担当：第8章 (8-6)

土橋《どばし》 臣吾《しんご》

法政大学社会学部

武蔵工業大学環境情報学部を経て、2008年から現職。編・共著に『ケータイの2000年代: 成熟するモバイル社会』(東京大学出版会)、『メディア社会論』(有斐閣) など。
本書担当：第4章、おわりに

野々山《ののやま》 正章《まさあき》

株式会社ソフトディバイス
2007年入社。UI/UXデザイナーを経て、現在デザインストラテジスト。HCD-net認定人間中心設計専門家。『文化心理学』(朝倉書店) 共著。
本書担当：第6章、第8章 (8-1、8-2)、装丁、図表デザイン

藤代《ふじしろ》 裕之《ひろゆき》

法政大学社会学部
徳島新聞の記者、NTTレゾナントのニュース編集や新サービス開発担当を経て、2013年から現職。著書に『ネットメディア覇権戦争 偽ニュースはなぜ生まれたか』(光文社) など。
本書担当：はじめに、第1章 (1-1)、第4章、第7章、第8章 (8-4、8-5)、全体編集

保髙《ほたか》 隆之《たかゆき》

NHK放送文化研究所
世論調査部研究員。1996年NHK入局。福祉番組の制作などを経て、2015年より現職。「ユーザーからみた新しい放送・通信サービス」『放送研究と調査』など。
本書担当：第1章 (1-2)、第2章、第3章 (3-8、3-9)

吉川《よしかわ》 昌孝《まさたか》

株式会社博報堂DYメディアパートナーズ
1989年博報堂入社、生活総合研究所等を経て2016年よりメディア環境

研究所所長、20年4月より主席研究員並びに東京大学大学院学際情報学府修士課程。著書に『「ものさし」のつくり方』（日本実業出版社）など。
本書担当：第1章（1-2～1-6）、第5章、第8章（8-3）

渡辺《わたなべ》 洋子《ようこ》

NHK放送文化研究所
世論調査部研究員。2001年NHK入局。番組制作、国際放送局を経て、2009年より現職。共著に『図説日本のメディア［新版］』（NHK出版）など。
本書担当：第1章（1-7、1-8）、第3章

アフターソーシャルメディア

多すぎる情報といかに付き合うか

2020年6月29日　第1版第1刷発行

編　　集　　法政大学大学院メディア環境設計研究所
著　　者　　久保田 麻美（株式会社ソフトディバイス）
　　　　　　白井 瞭（株式会社リ・パブリック）
　　　　　　土橋 臣吾（法政大学社会学部）
　　　　　　野々山 正章（株式会社ソフトディバイス）
　　　　　　藤代 裕之（法政大学社会学部）
　　　　　　保髙 隆之（NHK放送文化研究所）
　　　　　　吉川 昌孝（株式会社博報堂DYメディアパートナーズ）
　　　　　　渡辺 洋子（NHK放送文化研究所）
発 行 者　　吉田 琢也
発　　行　　日経BP
発　　売　　日経BP マーケティング
　　　　　　〒105-8308 東京都港区虎ノ門4-3-12
デザイン　　久保田 麻美/野々山 正章
制　　作　　マップス
印刷・製本　大日本印刷

ISBN978-4-296-10561-8

本書籍に関するお問い合わせ、ご連絡は下記にて承ります。
https://nkbp.jp/booksQA